ビジネスで成功する人は芸術を学んでいる

MFA入門
（芸術修士）

朝山絵美
Asayama Emi

プレジデント社

" MFA is New MBA "

ダニエル・ピンク

はじめに

アートはビジネスに応用することができると言われても、それは難しいのではないか、という方もいらっしゃるのではないでしょうか。アートは概念的なものであり、ビジネスのように数字で価値が測れるわけではありません。長年数字を用いて事業判断や経営管理を行うビジネスの世界に身をおいていると、アートに対して距離を感じてしまう気持ちもよくわかります。

現在、私は、コンサルティングファームで15年以上働いています。思えば幼少の頃から正解のある科目が好きでした。大学や大学院では理系の学科を専攻し、AI（Artificial Intelligence人工知能）を扱う研究を行っていたこともあり、いわゆるサイエンス思考が染み付いていました。

そんな私が、美術大学院（以下、美大）の門を叩いたのです。武蔵野美術大学（通称 ムサビ）で大学院の修士課程を修了し、その後博士後期課程に進学し、博士の学位を取得しました。美大ではアートに関する考え方や知識を習得しながら、4年以上にわたり「美しい椅子」を制作するアートワークを行ってきました。美大の教授や職人の方々と共にアートワークを実践することで「美しさやアートとは何か」について考察を深めてきたのです。そしてこの度、ビジネスの世界と美大で学んだ知識と実践を踏まえ、サイエンスとアートという一見分離された世界の架け橋となれるのではないかと考え、筆をとることにしました。

美大の門を叩いたのは2019年ですが、ビジネスの世界におけるアートの必要性を感じたのは、さらに10年前の2009年頃です。

アートディレクターである佐藤可士和氏が書いた『佐藤可士和の超整理術』との出会いがそのきっかけでした。当時の私は、仕事を効率的に行うために話の論点やタスクを整理するのが大好きであり、それらを丁寧かつ迅速に行うことで、効率的に物事を進めることができたため、整理術はサイエンス思考であると思っていましたが、それはアートを生みだす要素でもあると気づいたのです。情報や思考を整理することを通して、新しい視点が生まれ、それにより物事を客観視できるようになり、新たなアイデアを発見できるようになるからです。そのような整理術を佐藤氏が実践していることで、アートディレクターとして新たな世界観を創りだすことに役立っていると気づくことができました。

時を合わせるかのように、2010年代、韓国や中国、欧米の企業が大きく成長していましたが、日本企業は徐々に彼らに後れを取っていきました。また、世界各国の企業戦略が同質化しつつあるのを実感していました。それは、自然の原理から離れていく状態なのではないかと私は思っていました。なぜなら、ビジネスは人間が生みだすものであり、一人ひとりに個性があるように、その個性の集合である企業も個性があって然るべきだからです。人間によって生みだされたビジネスは、より個性のあるものとなるはずです。そして、それらを享受する私たちの生活は、より彩り豊かなものになるのではないかと私は考えていました。しかし、私の予想以上に状況が大きく異なっていったのです。

その状況を打破するための海外企業に負けないビジネスとは何だろうか、個性のあるビジネスのつくり方はどうあるべきか、自問自答し続けました。すると、ふとアートがその答えになると直感したのです。

アーティストは、日々自分自身の考えや個性を作品という手段を使うことで表現しています。彼らの営みに照らし合わせると、人間が行うビジネスもアート同様、成り立たせることができるはずです。そのためにはビジネスにおいて意思決定を行う際に、アートの考え方がますます不可欠なものとなり、ビジネスの世界にアートの考え方を浸透させる必要があるのではという考えにいたりました。

しかしながら、これはわずか10年ほど前のことであり、ビジネスにアートを取り入れるという考え方はビジネスの世界でさほど広まっていませんでした。当時は私自身、アートの考え方をどのように取り入れるべきかと悩んでおり、1＋1＝2と単純に足し算すればよいのかどうかを問われても、うまく説明できませんでした。その後、この問いに対して10年間向き合い続け、様々な経営の意思決定に触れながら、アートの世界にも入り込んだことにより、自分自身の中でようやく言語として説明できるようになったのです。

本書では、美大で学んだことを体系化させ、ＭＦＡ（Master of Fine Arts）の学びとして紹介していきます。なお、私が通った武蔵野美術大学の大学院造形構想研究科の英語の正式名称はGraduate School of Creative Thinking for Social Innovationであり、修士は正式にはＭＡ（Master of Arts）です。ＭＦＡと同等あるいはそれ以上の学びの体系になっているため、ＭＢＡ（Master of Business Administration）と対比する位置付けとすることから、本書ではＭＦＡとします。

もともとサイエンスに傾倒し、アートは到底自分には理解できないものとして一線を引いていた私だからこそ、本書を通じて読者の皆さまに何らかの形で伝えられることがあるのではないか、またアートワークに挑戦したことによって得られた、知識にとどまらないアートの真髄についてお伝えできるのではないかと考えています。

皆さまのお仕事にとって、アートの考え方というものがどのように新しい存在であり、どのように面白く活用できるかについて、できる限りわかりやすくお伝えしたいと思います。それはビジネスにアートを浸透させることにより、イキイキとビジネスを営むことができる世界を創りたいと考えているからです。では、「アートをビジネスに応用する旅」に出かけましょう。

ビジネスで成功する人は芸術を学んでいる　目次

第2章 「アート」とは何か

第3章 「アート」のスキル

第4章　MFA（芸術修士） …… 141

第5章 MFAの実践的アプローチ

第1章
なぜ「アート」を戦略の中心に置くのか

崇高なアートとは人を幸せにすることだ（The noblest art is that of making others happy）

——米国の興行師　P・T・バーナム

注目されるアートのスキルとは何か

今、ChatGPTに代表される生成AI（Generative Artificial Intelligence）は様々なメディアで取り上げられ、もはや専門的な職業の人だけが使用するものではなく、誰もが日常的に使うことができるツールとして幅広く知られるようになりました。これまで人間が行っていた作業の多くが生成ＡＩを含むＡＩに代替可能となるのではないかとも言われています。生成ＡＩが使用される領域としては、例えばちょっとした調べ物をしたいときや社内向けの資料を作成したいときなど、多岐にわたります。

その一方、ＡＩでも代替がきかない、人間としての価値はどこに残るのか、という問題も出てきました。今後、コミュニケーションとアートは人間の価値として残るだろうとも言われています。例えばコミュニケーションの領域においては、心理カウンセラー、教員や保育士、介護職員などが、それらであるとみなされています。またデータの収集はＡＩが担ったとしても、人の心に寄り添うといったような領域は、ＡＩにとって困難とされます。人が他者に寄り添うからこそ安心を感じられ、人間同士の信頼も深まります。また、アートの領域では、アートディレクター、映画監督、グラフィックデザイナー、ゲームクリエイター、ファッションデザイナー、コピーライター、作詞家、作曲家、俳優などが代替がきかない職業とみなされてきました。

しかしながら、特にアートの領域においては変化が起きており、生成ＡＩによって簡単に「アート作品」の制作が可能となっています。中には人間が制作したものに引けを取らないものまで出てくるようになりました。このように、アートですらＡＩによって代替されるのではないかという議論も出てきたのです。

確かにＡＩには人間の域を超えた分析能力があり、制作プロセスを簡素化し、制作のスピードを加速化させます。しかしながら、本来、ＡＩは私たちと共存するツールであるべきです。そのため、今まで以上に人間として価値を発揮すべき範囲と、ＡＩに任せる範囲はそれぞれどこにあるかを考える必要があります。

ＡＩの限界は、過去に人間が定義した価値の枠の中でしか最適な判断を行うことができないということです。つまり、何か新たなモノを生みだし、新しい価値観を提案する領域は、人間の重要な役割として残ると思われます。

これは、新たな価値を創造する力であり、まさにアートの起点でもある重要な領域と言えるのではないでしょうか。つまり、このような時代において、ビジネスパーソン一人ひとりがアートのスキルを携える重要性がますます高まっているのです。

すでに米国では２０００年代からそのような議論は存在していました。２００６年に出版されたダニエル・ピンク氏のベストセラー書籍『ハイ・コンセプト「新しいこと」を考え出す人の時代』においても、アートのスキルが重要になることが示されています。同書では、新しいテクノロジーが人間の左脳を代用する可能性を示唆し、処理能力ではなく「創造力」がますます必要になってくるということを述べています。

ここでいう「創造」とは、何かの真似ではない、独自の有用な案を生みだすということです。

本書では独自の有用な案をアイデアと呼ぶこととします。

創造力は、英語ではクリエイティビティ（Creativity）とも訳されますが、これは一部の人のみが持つスキルであって、誰しもが持ちうるスキルではないのではないかという意見も耳にすることがあります。しかしながら、創造力は本来、人間誰しも持ち合わせている力であり、それぞれの人が持つ素養であると私は考えます。重要なのは、その素養を世の中に対して発揮できる状態にあるかどうかということです。最大限引き出し、すぐに発揮できるように、日頃から創造力の力を鍛えておかなければなりません。

また、ピンク氏は「MFAは新しいMBAである」とも述べています。MFAは、「Master of Fine Arts の略称ですが、日本語では芸術修士となり、芸術科目の実践をベースとした大学院の学位（修士号）を指す言葉です。つまり、MFAは創造力をはじめとするアートのスキルを鍛えることができる学びの場なのです。これまでビジネスのスキルとして主流であった、経営学修士を表すMBAに対して、今後ビジネスの世界ではMFA人材がより求められるのです。MFAを取得することにより、アートのスキルが養われ、創造力が発揮され、ビジネスの世界で活躍できる人材が増えることが期待されています。

まず、皆さんが自分自身の中に眠る創造力の可能性を信じて、本書で紹介するアートのスキルやMFAに対する理解を深めていっていただきたいと思います。

アート＝絵画作品という誤解

アートと聞くと、とっつきにくいという印象を受ける人もおられるかもしれません。それはアートという言葉でイメージするものが、絵画作品や美術館であるためではないでしょうか。アートは、センスのよい人が好むものであり、ハイエンドな趣味であるため、人を寄せ付けないといった印象を持つ方もおられるでしょう。絵画といっても様々な表現が存在しますが、抽象的な絵となると全く理解することができないという方もおられるでしょう。さらにそのような抽象画が、オークションにおいて高値で取引されているのを見聞きすると「なぜこんな作品がこんなに高く売られるのか」と、心のシャッターを下ろしてしまうのではないでしょうか。

これは、日本の美術教育にも問題があると思っています。幼少の頃は好きなように絵を描いていても、学校の授業では、対象物を観てしっかりした絵を描くための技術を教えられ、上手に描いたとみなされた人だけが評価の対象となる。これでは、それ以外の人は、自分には絵を描く能力がないと思い込み萎縮してしまいます。そうした背景から、アートは生まれ持った才能やセンスが重要な世界であると思い込み、アートと距離を置いてしまうのではないでしょうか。本来、絵を描くという行為は楽しいものであるはずです。観たまま感じたまま、自分自身の感性を活かして手を動かす行為が大事なのです。アートとの心理的な溝を埋めるために、まずアートに対する、とっつきにくさを解消するところからスタートしたいと思います。

そもそもアートとは、何のことを指すのでしょうか。多くの方は水彩画、水墨画、版画などの絵画や彫刻をアートであると理解していることでしょう。また、普段、アーティストという言葉をよく耳にします。アーティストと聞くと、歌手、バンドといったプロミュージシャンを思い浮かべる方も多いでしょう。まさに彼らの活動もアートの対象であると言えるでしょう。

海外では、日本のKawaii(カワイイ)文化が人気を集めています。Kawaiiは21世紀に入って最も世界に広まった日本語とも言われるほど、この言葉に対する認知度が高まっているほどです。2017年から2018年に、国内データサイエンス企業のブレインパッド社がハッシュタグ#Kawaiiを含むInstagram投稿数を国別に分析したところ、アメリカでは圧倒的な投稿数でしたが、#Kawaiiと同時に付与されていたハッシュタグとしては、1位が#anime（アニメ）、4位が#cosplay（コスプレ）であったということです。これらは日本文化の象徴でもあるアニメや漫画に類するものと言えます。さらに、3位には#art（アート）のハッシュタグが挙がっていることからも、世界的に日本のポップカルチャーはアートとみなされていることがよくわかります。

最近では、リベラルアーツもビジネスパーソンに求められるスキルとみなされています。現代におけるリベラルアーツは、いわゆる大学の講義などにおける一般教養のことを指していま す。

リベラルアーツは、古代ギリシアに端を発し、その語源的意味は、「liberal（自由）」になるための「arts（技芸）」とされています。ローマ時代には「自由七科」と呼ばれ、当時のエリートは言語系の三科として、文法、弁証法、修辞学、さらに数学系の四科として、算術、幾何学、音楽、天文学を学んでいました。特に哲学が自由七科の上にあるとみなされ、これらを学ぶことは、教養を広げるというよりも、感性を広げるといったニュアンスに近かったと言われています。そのため、アートの範囲は美術や芸術に限ったことではないことがわかっていただけると思います。このように、世の中の何がアートに当てはまり、何が当てはまらないかを判断することが難しいほど、アートの対象となる定義は広がっているのです。

つまり、絵画や彫刻、歌手やミュージシャン、漫画やアニメ、作曲、作詞、さらには陶芸、手芸、織物、木工、建築、そして、俳句、短歌、絵本、演劇、歌舞伎、バレエや服飾ファッション、インスタレーション、デジタル空間、漫才やコント、ドラマに加えて哲学といったリベラルアーツにいたるまで、現代ではあらゆるものが「アート」に含まれるのです。

このように、アートは、高尚な領域のものだけでなく世俗的な要素も持ち合わせているため、これまで「アート」の言葉で想起されていた対象よりも、幅広いことがよくわかります。まずは多様なアートの存在を認識していただき、これらをどうやってビジネスで活用していくかについて述べていきたいと思います。

予測不能な経営環境下で求められるイノベーション

近年、突如として新しいサービスやアプリが流行り始め、気がつくと何百万人もの人が利用しているといった現象が起こっていますが、その浸透スピードは、人々の予想をはるかに超えるものとなっています。

このように、これまでの価値観や常識を覆す変化が次々と起こっているため、ビジネスを立案する立場としては、予測することが難しい環境下で経営を遂行せざるをえない状況になっています。比較的ニーズが定まっていた過去の状況とは異なり、現在はどのようなサービスや体験が顧客にとって魅力的なものかが、定まりにくいのです。このような状況は、ＶＵＣＡと呼ばれています。ＶＵＣＡとは、Volatility（変動性）、Uncertainty（不確実性）、Complexity（複雑性）、Ambiguity（曖昧性）の頭文字をとった造語であり、インターネットの普及とテクノロジーの急速な進展、グローバル化の広がりなどにより、未来が予測しにくく、様々な問題が複雑に絡み合う状況を示します。

このような時代において、企業の成長の差を引き起こすのは、イノベーションを生みだすことができる力の差です。現代は、グローバル化の進展や急速な技術革新により複雑性が増しているため、たとえ新たなビジネスモデルや技術的なイノベーションが実現されたとしても急速に成熟化、陳腐化してしまうリスクをはらんでいて、長期的な競争優位を築くことが難しくなっています。このような状況下で、企業としての競争優位を確立するためには、今までにない価値を創出し、継続的にビジネスを創造していくことが必須であり、そのためにイノベーションの創出が求められているのです。

今、多くの日本企業は苦戦を強いられています。イノベーションを創出する力を表す指標Global Innovation Indexランキングにおいて、日本は10年以上、トップ10に入っていません。さらに、2022年までの直近10年で生まれた国別のユニコーン企業数においても、日本は18位で6社にとどまっています。そのためユニコーン企業の創出は待ったなしの状況ですが、それに逆行するようにヒト・モノ・カネ・情報などの経営資源が大企業に集中する傾向が強まっています。日本においては特に大企業におけるイノベーションの取り組みは喫緊の課題です。

このように多くの企業が苦戦している状況は、これまで正しいとされてきた「正解」が無価値化されてしまったことと大きく関係があります。

ビジネスとして向き合うべき3つの問題点

イノベーションを生みだすためには、これまでの延長線上ではない非連続なビジネスモデルを創りだし、新しい製品やサービスの投入が求められます。そのためには現在の価値観では判断できないもの、つまり前例に照らしても判断することができない、非常に尖ったアイデアが必要です。

しかしながら、そのようなアイデアを示されたときに、多くの場合において意思決定が膠着してしまう傾向が見受けられます。なぜなら、私たちにとって向き合うべき問題の性質が全く変わっているためです。

ビジネスにおいて直面する問題は3つのタイプに分類されます。単純な問題（Simple problem）、複雑な問題（Complex problem）、厄介な問題（Wicked problem）です。1つ目、2つ目の単純な問題、複雑な問題とは、正解・不正解が存在する問題を指します。例えば、1つ目は

	単純な問題 Simple problem	複雑な問題 Complex problem	厄介な問題 Wicked problem
	自動車のキズの修復方法は	燃費が良くスピードの出る自動車とは	2040年に求められる自動車とは
解き方	容易	困難	不明
正解	ある	ある	ない
客観的評価	可能	可能	不可能

出典：平野友規氏の2018年3月28日付、X（Twitter）への投稿（現代デザイン用語「Wicked Problems」）を基に著者が作成

「自動車のキズはどう修復をすればよいか」のような解くことが可能で、それも比較的簡単なレベルの問題です。2つ目は、同様に正解があるものの、「燃費が良くスピードが出る自動車はどう造ればよいのか」のような解き方が難しい問題を指します。

一方、厄介な問題とは、「2040年に求められる自動車とはどのようなものか」といった、正解も不正解も存在しない曖昧なものです。「Wicked」は日本語で「厄介な」と訳され、何が問題なのかを定義することが難しく、解けたと判断することが難しい性質のものを指します。これは複雑に絡み合う社会システム全体の問題に対し、デザイン理論家のホルスト・リッテルが提唱したものです。これに対しては、正解や不正解が存在せず、導きだした解が魅力的であるかどうかの観点で判断されます。つまり、ＶＵＣＡ時代においてビジネスが直面する問題が、正解が存在するものから厄介なものへシフトしているのです。

これまで私たちは正解に価値があるものに多く向き合ってきましたが、今は正解が出しにくい「厄介な」問題に対する答えを出すことが求められています。つまり、「２０４０年に求められる自動車とはどのようなものか」の問いに対する解として、私たちは「ワクワクする未来を感じさせるような新しく尖った魅力的なアイデア」を生みだす必要があるのです。

さらに、「厄介な」問題の解として新しいアイデアを提案しても、次の壁が待ち受けています。残念ながら、今の日本においては無難なアイデアが好まれ、尖ったアイデアが通りにくい状況が続いています。なぜこのような状況に陥るのでしょうか。それは多くの企業では、不確実な未来に対して明確な意思決定の基準を持ち合わせていないためです。

正解が存在する問題については、科学的なアプローチで解くことができます。ここにおける科学的なアプローチとは、言い換えると分析可能なアプローチのことです。このように過去の事例やベストプラクティスなどの既存データを数値で分析し、選択肢を用意して確実性の高い数値を選ぶことにより、意思決定を前に進めることができます。

例えばＭＢＡでよく用いられる分析的なアプローチは、予測可能な状況における「安定した市場」で活用され、解が存在する問題に向き合うときによく使われてきました。

これまでの経営		これからの経営
顧客のニーズが安定 競争相手とその戦略が予測可能	経営環境	顧客のニーズが不安定 予測不可能（VUCA）
正解がある問題 ＜単純な問題・複雑な問題＞	向き合う問い	正解がない問題 ＜厄介な問題＞
選択肢の中から正解を選ぶため 分析的である	意思決定	新しい選択肢を創りだすため 創造的である

一方、イノベーションを創出する際に直面するのは、「厄介な問題」が中心となります。ここでは、魅力的であるかどうかで意思決定がなされるため、「正解がある問題」と同じやり方では問題を解くことができません。つまり、これまで通り科学的なアプローチで解こうとすればするほど、致命的な間違いを生みだしてしまうのです。そうならないためにもそれぞれの問題のタイプに応じた適切な手法に則り、それぞれに対して対応することが求められます。

また、米国ビジネススクール教授のフレッド・コロピー氏は、「データと分析に基づいて決断を下す経営の分野を、社会科学として位置付けたことがそもそもの失敗だった。それが経営者の思考を狭めてしまった」というのです。

こうした科学的であろうとする考えに基づいた経営が実践され、さらにこれを推し進める教育が行われたことにより、「選択肢から選ぶ」という意思決定が横行し、「将来の可能性を模索して新しい事業を創造すべき」という本来の経営の意義を薄れさせてしまったのです。このようにして、人間から発せられる主観的な思いや創造力は見過ごされました。

正解が存在しない問題に向き合い、魅力的な解を提案し続けるためには、ビジネスパーソン自身が持つ主観的な思いや創造力というものが、非常に重要な要素となります。「選択肢から選ぶ」という受け身の姿勢ではなく、「この選択肢が最も魅力的なものに違いない。新しい選択肢を現実に創りだしたい」という主観的な思いこそが求められるのです。このように、正解が無価値化された現代では、自分自身が思い描く選択肢を、強い意志で製品やサービスという形により実現させることが必要なのです。

そこで、それらを解決する方法として用いられてきたのが、デザイン思考やアート思考でした。デザイン思考とは、デザイナーがデザインする過程で用いる思考プロセスをビジネスに活用した考え方のことです。ちなみにデザイン思考のプロセスは、顧客が抱える課題の発見と解決を得意とします。

一方、本書ではビジネスパーソン自身が持つ主観的な思いや創造力を源泉とする方法に焦点を当てているため、デザイン思考についての詳しい説明は割愛しますが、アート思考については概要やポイントに触れていきます。

アート思考について

主に欧州の研究者や実務家が主導する形で、スペキュラティブ・デザインと呼ばれる新たな思考法とともに、アート思考は2010年代に新たな思考法として登場してきました。アート思考は、20世紀以降の現代アートに代表される、コンセプトを追求するという意味に近い概念を持ったものであり、現代アーティストがこれまで見たことがないものや今まで存在していなかったものを生みだすために用いられる方法のことです。

またスペキュラティブ・デザインとは、アート教育の名門校パーソンズ美術大学で教鞭を執るアンソニー・ダンとフィオナ・レイビー（以下ダン&レイビー）が提唱したもので、問題解決のためのデザインではなく、物事の可能性を思索するためのデザインを指します。また社会に対する問題の問いかけや、起こりうるかもしれない未来を暗示する手法も特徴となります。デザインという名称がついているものの、アート思考に類するものとして捉えていいでしょう。

アート思考については、「自分起点」と「問題提起」という2つの特徴を持ち、イノベーションに活用できる思考法であるということが経営学の研究でも明らかになっています。

ここでの「自分起点」は、個人の内部から発せられた問いの始まりを意味します。つまり、他人のために役立つことを行いたいという社会的な動機とは異なり、まず自分がどうしたいのかを考え、自分のために行う個人的な動機のことで、経営学では「内発的動機」と呼びます。内発的動機とは、活動すること自体を目的とする行為のことであり、これに内在する報酬、例えば達成感や自己成長の実感などのために行うものとして定義されています。つまり、内発的動機は人間の内面から自発的に発生するものであり、嗜好や自己満足などの主観を原動力にしているものなのです。

なお、これまでの研究において、社会的な動機に比べて個人的な動機のほうがイノベーションを生みだせることが明らかになっています。さらに、個人的な動機から生みだされたものは、市場でも許容されることが示されました。それらは、面白さや意外性を追求することから始まります。またこれらは極めて個人的で主観的な作業から生まれ、自分自身の思いを重視して突き進むのを特徴とし、他人もそれを見て面白いと感じるものです。

次に、「問題提起」についてご説明します。デザイン思考では、問題をいかにして創造的に解決していくかが焦点です。それに対して、アート思考は、このような未来があるとよいのではないかという観点から情報を発信し、人々の常識や価値観を揺さぶることにより、いかにして議論を起こすような問いかけができるかが焦点になります。

先ほどのダン＆レイビーは、「数ある選択肢の中から、個々人の思索を通じて、自分にとって望ましい未来を提示することが重要である」と述べています。このように、様々な未来の可能性を思索した上で、自分にとって望ましい未来を見つけ、それを世の中に対して問いかけていく重要性を、ダン＆レイビーは訴えているのです。

さらに米国の大学教授、サラス・サラスバシー氏は、2008年にアート思考の問題提起に符合する、エフェクチュエーションという理論を提唱しています。エフェクチュエーションとは、優れた起業家が持つ思考パターンをモデル化したものです。ここでは「未来は不確実性が高く、自分で創りだすものであること」が前提となっており、あらゆる可能性の中から自分にとって望ましい未来を創りだしていくものとされています。つまりこのエフェクチュエーションにおいては、未来に対して受け身の姿勢で物事に臨むのではなく、自分がこうしたいという主体的な姿勢を強調する点が、アート思考の問題提起の考え方と酷似しています。

こうみるとアート思考はイノベーション研究の結果と合致するため、アート思考を用いることにより、イノベーションが起こりやすくなるとも言えるのです。

まとめると、アート思考とは、何らかのものに対して自分が行いたいことを起点とし、これまで見たこともないような新しいものを生みだそうとする行為です。そのため、魅力的か否かといった厄介な問題に対しても対処することが可能となり、イノベーションに適した思考法であると言えるのです。

アーティストの「思考」はアートの一つの要素でしかない

しかし、残念ながらアート思考はビジネスの世界においてすぐに浸透しませんでした。今も多くのビジネスパーソンがアート思考に興味を持ち、ビジネスに持ち込もうと試行錯誤していますが、誰もが実践できる状態とは必ずしも言えない状況です。

それは、アイデアを生みだし、それを他者に共鳴してもらうメカニズムにおいて暗黙知が存在しているものの、それが明文化されていないためです。このような状態で、形式知化しやすいアーティストの「思考」スタイルのみを切り取って定式化して、普及を試みたことに無理が生じてしまったのです。特に、アイデアの発想法における形式知化だけにとどまってしまったため、それが浸透をさまたげる大きな要因となったと言えます。

アーティストの活動の最終到達地点は、今まで存在していなかった作品を世に生みだすことで、観る人の世界を変えることです。

アーティストは作品を生みだす際、膨大なインプットを行い、自分自身の作品について日々考え続けています。その上で自分自身のアイデアを具現化するために、あらゆる表現を試行していきます。そのような試行錯誤を繰り返すことにより作品を研き上げているのです。本来は、この一連のプロセスも形式知化させる必要がありますが、なかなかうまくいっていない現状があります。

そのような課題を克服するために、欧米では、アーティスティック・インターベンションという概念が生まれています。これは企業経営に対してアートを介入させることを意味します。つまり、アーティストの能力を活かすことにより企業内に刺激を与え、社員の学習態度や行動に対する変化を促そうとする試みです。アーティストが一定期間、組織に入り込み、共通の課題に取り組む過程を経ることにより、組織の学習に変化を引き起こすという効果を期待するものとなります。

これは組織としての一定の学習効果は見込めるものの、あくまでもアーティストが参画する形態であるため、事業を立ち上げるビジネスパーソンにとってアートのスキルを獲得する効果はどうしても限定的なものとなってしまいます。そのようなアプローチを否定するものではありませんが、本来ビジネスパーソン一人ひとりが創造力を持っており、自らそれを発揮する力を持っていることを忘れてはいけません。この点において誰しもがアートのスキルを獲得できると私は信じています。

本書では、このような背景から通常の「アート思考」とは区別する意味において、そうした考え方を「アート」と呼ぶことにして話を進めていきます。では「アート」とは一体何を意味するのか。暗黙知となっている「アート」のスキルとはどのようなものかについて、解き明かしていくのが本書の目的です。そして、アートのスキルをビジネスパーソンの一人ひとりが身につけることを目指しています。

本書のゴールはどこにある？

VUCA時代においてイノベーションを生みだすためには、私たち一人ひとりが創造的な生き方、働き方を実践していなくてはいけません。ただ、これまでの科学的アプローチを重視した方法論だけでは、早晩ビジネスは立ち行かなくなります。

また、データによって示された選択肢から選ぶという消極的な姿勢では、たとえ方法論を変えたとしても機能しなくなるリスクがあります。そのため、選択肢を自ら創りだすという創造

これまでの経営		これからの経営
正解のある問い ＜単純な問題・複雑な問題＞	―― 向き合う問い ――	正解のない問い ＜厄介な問題＞
選択肢の中から選択する ＜サイエンス的な思考＞	―― 必要なスキル ――	選択肢を自ら創りだす ＜アート＞
分析的なアプローチ ＜MBA経営戦略＞	――適用する方法論――	創造的なアプローチ ＜MFA経営戦略＞

者としての姿勢を携え、魅力的か否かの判断軸でビジネスの意思決定を行う習慣をつけていかなければなりません。

では、これから私たちはどのようなスキルを身につけるべきでしょうか。

本書では、その答えが先ほど述べた「アート」に存在するとして、論を展開していきます。アートは歴史的にも古く、長きにわたり発展し続け、人類に対してあらゆる新しい価値を提供してきました。このことからも、ビジネスの世界で生きている私たちにとっても、アートは多くの気づきを与えてくれるはずです。

第2章では「アート」とは一体何かについて、時代を遡り説明していきます。

第3章ではこれまで解き明かされてこなか

った暗黙知について、可能な限り形式知化することにより、誰でも理解することが可能な状態としての「アート」のスキルを紹介していきます。

第4章ではそれらのスキルを学ぶことができるMFAの概要を紹介するとともに、それをビジネスの世界に適用させたものを、本書では「創造的なアプローチ〈MFA経営戦略〉」と呼び、「分析的なアプローチ〈MBA経営戦略〉」と比較しながらそのポイントを説明していきます。

第5章では、その経営戦略を実務レベルで実行可能な形にした、実践的アプローチを紹介していきます。

このように、アートのスキルを実践的に活用可能なものとすることにより、新しい価値を創造する変革者が一人でも多く増え、この流れが一層促進されることを目指していくのが本書の主旨です。

冒頭で、米国の興行師P・T・バーナム氏の言葉である「崇高なアートとは人を幸せにすることだ（The noblest art is that of making others happy）」を紹介しました。これは映画の『グレイテスト・ショーマン』を締めくくるP・T・バーナムを演じたヒュー・ジャックマンの台詞です。アートとは、まさに人を幸せにする行為そのものなのです。「周りの人を幸せにする世界を創りたい」という崇高な思いを通じて、ワクワクする新たなビジネスが創出される世界にしたい。それが「アート」を戦略の中心に置く真髄であると私は考えます。

本書を通じて、私たちの生活がより豊かになり、さらにイキイキとビジネスに取り組むことができるようになれば本望です。

第2章 「アート」とは何か

アートとは技術のことである。眼には見ることのできない精神を物質化するための。

——現代アーティスト　杉本博司

産業革命が創りだした世界

今の社会は、産業革命の延長線上にあります。17世紀のガリレオやニュートンにより科学革命が起こり、18世紀にイギリスから起こった産業革命の波が各国に広がりました。その後、農村から都市への人口移動も起こり、私たちの生活は大きく変わっていったのです。

産業革命とは、農業社会から工業社会への変化であったと言えます。そのときの新しいエネルギーへの移行と経済を支えたものは、科学技術の進歩によるものでした。

18世紀末以降、人類の平均寿命は大きく延び、所得の水準も上がったことに伴い、物質的な豊かさも飛躍的に向上していきました。21世紀になるとＩＴ革命により、世界の絶対的貧困層の数は減少していったのです。かつて、一部の特権階級のものであったグルメや音楽、芸術、ファッション、旅行なども多くの国々で享受され、今や一般市民に浸透しています。

これこそ産業革命が創りだした世界であり、言い換えれば、科学とテクノロジーとお金を配分する経済がもたらした「新たな世界」です。

一方、科学とテクノロジーは私たちの価値観を大きく変えていきました。産業革命以前の人々の価値観は、宗教や共同体によって形成されていましたが、産業革命後は社会構造の変革が起こり、人々の価値観のよりどころとなっていた宗教や共同体は破壊されていきました。それまで宗教が担っていた、「世界を説明する」役割が、科学に取って代わられたのです。同時に、教育、福利厚生、娯楽などの社会的機能が共同体から分離、独立したことにより、都市化が加速し、その後市民階級の誕生へとつながりました。しかしながら、これらの過程により、人々と共同体との結びつきも切れてしまったのです。

人間本来の営みを取り戻す

では、人々の価値観のよりどころとされてきた共同体は今後、どうなるのでしょうか。

そもそも科学は、人はなぜ生きるのかという問いには答えてくれません。科学には対象とする領域があります。それは物質に関してで、人間の心は対象ではありません。

なぜ科学では、心の領域を扱わないのでしょうか。それを理解するためには、科学が急速に進歩し始めた17世紀の科学革命について知る必要があります。古代において、精神的なものと物質的なものは混然一体でしたが、17世紀あたりから、数値化できる物体を取り扱おうとする試みが始まりました。これは天文学者として有名なガリレオの時代に該当します。その後、近代哲学の父と言われるデカルトは、精神と物質を分けるといういわゆる「物心二元論」を提唱しました。このように科学において、自然や世界と人間の心を切り離すことにより、物質や機械的な運動といった数値化できるものだけを取り扱うようにする動きが生まれたのです。

また、科学には、物事の方向性やなぜそれを行うかといった目的については示すことができません。科学を使うことで自然の法則を明らかにすることはできますが、私たちが科学をどう使うべきか、何を作ればよいかは、わからないのです。つまり科学は物事を解明するための強力な手段ではあるものの、それ自体を目的とすることはできないのです。例えば、アインシュタインは、この状況を捉えて「手段は完全になったというのに、肝心の目的がよくわからなくなったというのが、この時代の特徴と言えるでしょう」と述べています（『アインシュタイン150の言葉』）。そして、世界が巨大なＩＴ企業に支配されている今、人類が科学やテクノロジーに対して固執する傾向はさらに強まっています。

デジタル信号も含めた物質的なものであるテクノロジーを社会的な目的に利用するためには、人間社会にとっての「新しい社会的イメージ」が必要です。それはテクノロジーが社会を変化させる有効な手段の一つであったとしても、アインシュタインが言うように、科学自体は進むべき方向性や目的を示すものではないためです。

例えば、私たちが日常的に利用するインターネットは、インターネット技術そのものが生みだしたものではありません。様々な研究者の意志によって、現在のネット社会の形になったものです。

インターネットの開発史において、ＴＣＰ／ＩＰを開発したロバート・カーンとヴィントン・サーフ、パケット通信の理論を確立したドナルド・デービス、それらを実装して最初の通信を実現したレナード・クラインロックなどは、インターネットの父として有名です。しかしながら、彼らと同じ時代に、現在のインターネットとほぼ同じものを予見して、それを実現させるべく尽力した中心人物は、J・C・R・リックライダー（以下、リック）という心理学者であったと言われています。つまりインターネット技術者ではなかったということです。

1962年、アイゼンハワー米大統領の肝いりで設立された最先端の科学技術研究を軍事利用する組織「高等研究計画局（ARPA）」の情報処理技術部（IPTO）の局長に、リックは任命されました。翌年、彼は「銀河間コンピューター・ネットワーク（Intergalactic Computer Network）の関係者各位へ」という文で始まるメモを各プロジェクトのメンバーたちに送ったのです。その内容は、銀河系全体にまでネットワークを広げようという、非常にビジョナリーなものであり、そこには作るべきネットワークの具体像が示されていました。それは、複数のコンピューターを接続し、データやプログラムが相互に利用できることで、それらがどこにあるのかを知る必要もなくデータが自由に利用できるという案でした。

その結果、このメモに基づくネットワークシステム「ARPANET」の実現を目指して多くのプロジェクトが同時並行的に動き出したのです。これは、まさにインターネットの仕組みそのものといえます。リックがARPAにいたのは、1年7カ月ほどですが、その間に蒔いた様々な種がインターネットとして結実することになったのです。

このように、人間の意志がなければ、科学やテクノロジーは機能しません。人間の労働を容易にするロボットやＡＩもこれと同様です。先ほど述べたように、科学は精神的な領域は扱いません。ましてや物事の方向やそれらを使用する目的は示さないため、共同体として共通の目的や意味をどう持たせていくかを、科学やテクノロジーをはじめとするすべての行いに対して私たち自身が考えていく必要があるのです。

同じ時代、同じ社会を生きていく人々と共に、共通の目的やそれを行う意味を持つことが、私たち人間の果たすべき役割であるといえます。それにより、共同体として互いのつながりを持ち続けることができれば、産業革命によって分離・独立した共同体を再興できるかもしれません。

では、どうすれば共同体に対して共通の意味と目的を持たせることができるのでしょうか。そのためには人間の感性で感じる「美」により、共通の目的となる「創りたい世界」を自由に想像することが重要です。さらに、その精神的な存在を共同体に伝わるように「物質化」させることが不可欠であると私は考えます。これらが、人間本来の営みにとって必要とされるべきではないでしょうか。

「美」により「創りたい世界」を脳内に想像する

「美」といえば、「美しい」という言葉を連想する方も多いと思います。さらに、きれいなものであるというイメージを持つ方もおられるでしょう。しかし、日本語が持つ「美しい」という意味は、「Beautiful」と訳される「きれい」とは本来異なります。

茶道の祖と称される千利休は、客を招くために、弟子に庭を掃くよう伝えたところ、弟子は落ち葉をすべて掃き、塵ひとつないきれいな状態にしました。ところが利休は、掃除はまだ終わっていないと、その庭にある木を揺らしてはらはらと葉を落としたのです。落ち葉ひとつない状態は、利休にとって「美」ではなかったのです。日本における美の感覚は、一般的にきれいとみなされているものよりも、味わい深さを併せ持っているように思います。こうして利休はきれいという感情を「美」の概念として昇華させていったのです。

また、アカデミックの世界において、美を体系的に整理する学問を美学と呼びます。美学は、エステティックス（aesthetics）の日本語訳ですが、これは感性を意味するギリシア語であるアイステーシス（aisthesis）に由来するものです。つまり、美学とは感性に関する領域のものであり、美は感性の認識そのものを指します。自分自身がどのような感性を持っていて、この世に存在する事物に対してどう感じるのかを表すものが「美」なのです。

このとき人間が感じる「美」を理解するうえで、認知脳科学分野の知識が役に立ちます。認知脳科学の一分野に神経美学がありますが、この分野では例えば「美の体験は私たちにどのような影響を与えるのか」「どのような脳の活動が私たちの美の体験と関わっているか」などの問題を扱います。ちなみに神経美学は、1990年代後半に急速に発展した脳機能画像技術によって、人の脳の活動を科学的に解析できるようになった比較的新しい美の分野です。

これらの研究を通じて、人が美を感じたときに内側眼窩前頭皮質が反応することがわかったのです。ちなみに内側眼窩前頭皮質は、前頭葉の下部、眉間の奥に位置する脳部位であり、快感や報酬、動機に関係する脳内機構の一部です。これも一例ですが、様々なシーンを人に見せて、内側眼窩前頭皮質の反応を見ることにより、これまでは主観的なものとされてきた美を科学的に計測できる可能性が示されたのは特筆すべき点となります。

神経美学の研究者である石津智大氏の著書『神経美学　美と芸術の脳科学』に、これまで神経美学で明らかになったことが記されています。美しい絵画作品などを見せたときに、内側眼窩前頭皮質が反応するだけでなく、オイラーの等式といった「数式」や人が正しいと感じる「道徳」などといった眼に見えないものに対しても内側眼窩前頭皮質が反応して、美を感じることがわかったのです。

さらに、美的判断と道徳的判断との間には強い関係性があり、「美と善」「美と真」の感覚が結びついていることも明らかになりました。つまり私たちは、美を感じたときに、良いことであるとする「善」や、正しいことであるとする「真」と同等の価値として解釈しているのです。美は単独で私たちの認知としては存在せず、私たちが何らかの判断をするときに、重要な因子となっているのではないかということです。

特に現代のように、環境がめまぐるしく変化し、社会的な文脈が複数存在するような、何が正しくて、何が良いかがわかりにくい状況では、一人ひとりが持つ感性である「美」が極めて重要な要素となりえます。

加えて神経美学の研究で裏付けられたのは、美を感じるかどうかは人によって大きな差があるということでした。つまり、生得的な美と後天的な美が存在することが科学的に証明されたのです。ここでいう生得的な美とは、生物学的な美であり文化や経験によって書き換えにくい美であるとも言えます。例えば、人が美しいとみなす顔の形は個体差は低くなりますが、後天的な美は、社会的な美とみなされているようにパーソナライズ化された美であるため、育った環境や経験、文化や社会のルールなどによって基準が変わるものとなります。そのときの文脈により、それを美しいと感じるかどうかも、それが時代とともに移り変わりうることが、研究結果により裏付けられたのです。このような文脈により形成された後天的な美に関して、本書では「美」として取り扱うことにします。

これからの時代は人生の中で培った美の感性を用いて、「このような世界を創造したい」と共同体との共通の目的となるものをそれぞれ思い描いていくことが必要となります。共同体と共に生きてきた文脈の中で培った「美」を用いることにより、「創造したい世界」は共同体の人々にとって魅力的なものへと変わり、さらにそれが世の中を変えていくような提案へとつながっていくのです。

精神的な世界を「物質化」させるにはどうすればいいか

次に、「美」によって脳内にイメージした精神的な存在をどう表現するかも重要となります。アート作品の代表でもある絵画作品を例に、見ていきましょう。

何か一つ、絵画作品を思い浮かべてください。そう言われると、そこまで絵画に詳しくない方でも、レオナルド・ダ・ヴィンチ作の《モナ・リザ》やゴッホ作の《ひまわり》など、いくつか有名な絵を思い浮かべることができると思います。歴史的なインパクトを与えてきたアートには、ある共通点があります。それは、それぞれの時代の価値観を壊して新しい価値観を提案し、人々の思想をアップデートさせてきたということです。通常「世の中はこういうものである」という既成概念や価値観を持ち、人々は生活していますが、それに対してアーティストは、異なる見方や考え方を提案することで、人々が持つ概念や価値観をアップデートしているのです。

では、アート作品を通して人々の思想をアップデートさせるというのは、どのようなことでしょうか。これは美術の歴史を見ると理解することができます。

20世紀前半にアート界で「キュビズム」の概念が生まれました。ちなみに、キュビズム以前の作品では、遠近法などを用いることにより、私たちが日常で見るような視点で物体や風景を表現していたのです。しかしながら、キュビズムの芸術家であるパブロ・ピカソたちは、この伝統的な単一の視点を避けて、対象を複数の異なる視点から同時に描くことで、より抽象的かつ複雑な形で現実を表現しました。彼らは、従来の遠近法や比例をあえて無視することにより、物事の本質や構造を強調する新しい表現法を創造したのです。その後、キュビズムは抽象芸術や構成主義、さらには現代アート全般に大きな影響を与えることになりました。まさに、これはアート界においてアーティストだけでなく観る人々の価値観をもアップデートさせた革命的な変化でした。このようにアートは、時として時代の流れを大きく変える要素を持っています。

このように脳内の「創造したい世界」をアート作品として表現し、新しい価値観を提案する活動を行っているのがアーティストです。それらのアート作品はアーティストのどのような思いが込められていたのか、いくつかの事例を見て一緒に考えてみましょう。

例1　「アートとは、作者が美しく完成させたものだけを指すか」

《泉》（1917）マルセル・デュシャン

デュシャンは、公募展に匿名のサインを記した既製品の男性小便器を出品しました。この作品は多くの人々にとって衝撃的なものであり、物議を醸しだしたものの、これに感化されたアーティストが、「何かしらの問いを投げかけるアート作品」を多く生みだすことになります。

例2　「アートの源泉は、無意識な状態から作りだされるものではないだろうか」

《ナンバー1A》（1948）ジャクソン・ポロック

ポロックはキャンバスをスタジオの床に置いて、絵の具を飛び散らかせることにより、したたらせる「ドリップ・ペインティング」と呼ばれる手法を開発しましたが、これはキャンバスを直立させて表面に絵の具を塗るというこれまでのアートの慣習を否定するものでした。

例3 「アートと大衆文化の境目はどこにあるのか」

《ブリロボックス》（1964）アンディ・ウォーホル

ウォーホルは、キャンベルスープ缶に代表される「商業デザイン」を引用する形により作品を提示しましたが、これによりアメリカのポップアート界の一人として有名になりました。

このように、様々な時代のアーティストが、新たな価値観を提案しています。アーティストはこれまで生きてきた文脈の中で培われた感性である「美」を使って、「創造したい世界」を脳内に描き、それを作品として表象化させています。

アートの言葉の起源は、ローマ帝国時代まで遡ります。ローマ帝国時代に一神教であるキリスト教が広まると、ラテン語では「知ること」が明瞭に分類されました。神によって創られたものを知ることを「scientia（スキエンティア）」といい、人間が作りだしたものを知ることを「ars（アルス）」といったことが始まりです。これが中世に引き継がれ、現代の「science」と「art」の語源となります。また、artには「人工」という意味もあります。語源から辿ると、この世界に存在するすべての対象が神の創ったものと人間の作ったものの2つに分かれますが、神が創ったnature（自然）に対して、人間が作ったものをart（人工）として規定したのです。具体的には、神が自らに似せて人間を創った行為に対して、人間が岩を削り出して人体彫刻を作ることがartであり、芸術や美術という意味へとつながっていきました。なお、artは人間が作ったものが対象となるため、芸術や美術だけではなく、医療やテクノロジーなど人間が生みだしたものすべてが含まれます。つまり、人間が主語になり、人間自らが作る行為そのものがアートなのです。

現代アーティストの杉本博司氏は「アートとは技術のことである。眼には見ることのできない精神を物質化するための。」と著書の『アートの起源』の中で述べています。

これまで生きてきた文脈を通じて得た「美」により、「創りたい世界」を脳内に想像し、それを共同体に伝わるよう物質化させて、眼に見える形にする行為が「アート」なのです。アーティストは、アート作品を生みだす際に、眼に見えない「思想」を、眼に見える「表現」、つまりモノやコトに置き換えているのです。このようにアートにおける作り手の思想と表現は、表裏一体であると言えます。

ここまでのことをさらに理解するため、人類の起源に遡ってみましょう。精神的な世界に存在する美を眼に見える形に変えるという行為は、人間という生物が持つ特徴とされています。20万〜30万年前、アフリカにおいて私たち人間の祖先であるホモ・サピエンスが出現しましたが、それ以前にも、ネアンデルタール人などの私たちと同等の知能を持つ類人猿が存在していました。

しかしながら、私たちホモ・サピエンスと類人猿には、決定的な違いがあります。それは、ホモ・サピエンスは、アートの原点となる「精神世界を物質化する」行為を、古くから行ってきた点です。例えば旧石器時代の後期に描かれたとされる洞窟壁画など、アートと呼ばれるものが数多く遺されているように、心の中に無限に広がる精神世界を、私たちはアートという手段を使うことで形づくってきたのです。この時代、それらの表現にどの程度当時の人々の思想が入っていたかははっきりしませんが、精神世界を眼に見える形にする技術としてアートが広がっていったことは確かです。

なお最近の研究では、ネアンデルタール人のアートが存在するという報告もありますが、多くの研究者に共通する見解は、人類の独創的な表現とネアンデルタール人の表現には、大きな違いがあるということです。

したがって本書では、アートとして語られる精神世界を眼に見える形にする行為を人間特有のものとして捉えています。

価値観は身体の感覚を通じて形づくられる

もう一つの特徴は、精神〈世界の見方〉だけでなく、身体〈世界の感じ方〉にあります。精神世界と身体世界は、相互に強く影響を及ぼしています。しかしながら、多くの人の価値観を変えていくためには、眼に見えない精神世界だけでは限界があります。人はまず身体〈世界の感じ方〉で感じとり、のちに精神〈世界の見方〉が変わっていくからです。精神世界を言葉で表現して相手に伝えることはできますが、身体で感じとってもらうことはできません。このように、言葉を中心に表現される精神世界は周りの人々に影響を及ぼす上で限界があるのです。

このことを日本におけるアートの歴史から説明していきたいと思います。

千利休は、茶室に客を招く際、その客を楽しませるための書画や花を選び、茶碗を吟味し、料理に趣向を凝らすことで、新しい美を客と共に楽しみました。さらに、それらのモノを通じて、客が新しい世界を身体で感じることで、茶の湯の一つの様式が浸透し、高い評価を得ることになりました。茶を喫するという日常的な行為の持つ価値や意味を変えたのです。それにより、日常的な茶道具は戦の恩賞として領地と同等の大きな価値があるものとされ、茶会はその人の地位を示すものとなりました。

当時、千利休が行ったことは、まさにアートの行為そのものでした。アーティストとは、いつの世にも、人跡未踏の地に分け入り、そこにその時代の精神、美、極言すれば価値そのものを創造する人のことです。先ほども述べましたが、精神世界にある美を眼に見える形に表現する技術がアートの役割として存在します。そのため、アートの技術を高めることにより、それが共通の目的を創るために必要な「強い触媒」となって共同体としての意味を作りだすのです。

つまり、千利休などの例からわかることは、私たちの心の中には眼には見えない精神が存在していますが、言葉ではそれらを十分に表すのは非常に難しいということです。それを眼に見える形として表象化させることで、身体を通じて感じとることが可能となり、世界の見方を変えることにつながります。それにより、共同体へ与える影響を最大化できるのです。

「アート」で世界最大規模のＩＴ企業を創り上げたＣＥＯ

アップルの創業者であり、ＣＥＯであったスティーブ・ジョブズは、数々の革新的なサービスを提供してきました。iPhoneなどの製品はもちろん、リアルタイムで視聴したくなるような製品発表会やアップルストアなどといった一連の体験にもこまやかな工夫を凝らしていました。ガラス張りのあたたかい陽が差し込むアップルストアの雰囲気は洗練されており、店員の服装もきれいなブルーのＴシャツで統一され、何か新しい出会いがあるのではないかというワクワク感を醸成させる空間になっています。このように、アップル独自の洗練された世界感を演出してきました。

ビジネスにアートを持ち込んだジョブズは、常に「美」を追求し続けることにより、多くの顧客を魅了してきました。１９９６年にジョブズがアップルの経営者として復帰した際、「アップルを改革する」と投資アナリストに向けて宣言しましたが、そのとき彼が放った言葉の本質を理解した人は、ほとんどいませんでした。

ジョブズは、人間の持つ「美」について注目していました。美は人々に深い喜びをもたらすものであるとみなし、アート作品のような美をサービスに組み込もうとしたのです。それは、美に焦点を当てたアップルのデザインにおける彼の強いこだわりによるものでした。

ジョブズが禅（「ＺＥＮ」）の思想に心酔していたことは有名な話ですが、禅のみならず日本の美に深い影響を受けていたと言われています。10代の頃、友人の自宅で日本の新版画と出会い、新版画画家の川瀬巴水（かわせはすい）の「美」のトリコとなったのです。ジョブズは屈指の新版画コレクターであり、所有する作品の半数以上が巴水のものであったと言われています。当時、新版画は浮世絵をハイエンドなアート作品として定義し直したものとして、米国で人気を博していました。なかでも巴水は叙情的な作品を多く手掛けており、彼の作品は浮世絵の北斎や広重とともに、海外でも高い評価を得ていたのです。

巴水の作品《赤目千手の瀧》は、目の前にある景色をそのまま表現した具象画のように見えます。しかしながら、水面に映っているはずの紅葉が描かれていないといった、不必要な要素を削ぎ落とすことにより、美がより洗練されている点にこそ、この作品の特徴があります。

そのようなシンプルな美をジョブズはこよなく愛していたようです。そのため彼が関わった製品には、巴水のようなシンプルさや美が反映されています。このようなデザインの製品を出すことにより、新しい体験を次から次へと提供し、アップルは成長していったのです。

例えばiPhoneの箱を開けたときの体験も洗練されており、新品を開けるときのフワッとした感覚も「体験価値」として提供され、箱を開ける瞬間が最も感動を呼ぶようにデザインされているとも言われます。

製品や箱というモノを通して美を追求することが普遍的な価値であるとジョブズは理解していたのです。ただし、大多数の人々は、「人々の創造性を高めるために電話を再定義する」という彼の精神世界を、実際にiPhoneに触れる前には理解していなかったのではないでしょうか。

しかし、iPhoneが眼に見える形で登場した時に、多くの人が身体を通して感じ、理解できるようになり、人々の生活や社会は大きく変わっていきました。こうして、美が表現された製品を通して、世界中の人々は魅了され、世界に大きなインパクトを残したのです。ジョブズは美を追求し続け、それを製品として表象化させることにより、アップルという企業の成長にも大きく寄与したと言っても過言ではありません。

まとめ

先史以来私たちは共同体の中で生きてきました。その中で培ってきた美が私たちに備わっており、それこそが、それぞれの時代における共同体としての意味や目的を形づくる上での接着剤となってきたのです。つまり、その「美」によって、「このような世界にしていきたい」という創りたい世界を脳内に描き、その思いを眼に見える形で表現することにより、共同体に美の意識を伝播させていきました。これこそが人間が持つ特徴であり、「アート」の営みであるとも言えるのです。

私たちは共同体との結びつきを通して、様々な進化を遂げてきたように、これからも自分の創りたい世界を共同体としての目的や意味として転換していくことが大切です。ここでいう共同体とは自分ではない他人の集合体を指しますが、あくまでも他人であるからこそ、自分の人生の目的や意味が他人のそれと最初から簡単につながるものではない点に留意するべきなのです。しかしながら、共同体の中で生きる過程を通して携えた「美」が、それらをつなぐための要素となります。さらに、それらの考えを他人の集合体に魅力的に伝えるために「物質化」が必要であり、それにより共同体としての結びつきを強めることができるようになるのです。

これはビジネスの世界でも同様です。アイデアを実現するためには、共同体となる仲間や社員と共に行動していく必要がありますが、イノベーションに相当するアイデアを実現する場合、アイデアを構想しただけではビジネスの成否は決まりません。新しい価値に対して客観的な正しさが事前にわかっていることはほぼないため、自分自身の美の感性がイノベーション創発の出発点となります。

しかしながら、新しい価値観を社会に実装していくためには、共同体の仲間が、そのアイデアに納得して、高いモチベーションで協力できる状態になっているかが重要です。一方、脳内にアイデアを描いたままの状態だと、納得感が持てず、懸命に努力してそれらを実現させようとは誰も思わないためアイデアを「物質化」させ、眼に見える形として製品やサービスを形づくる必要があるのです。つまりここで大事なのは、共通の意味や目的を「アート」によって形づくっていくということです。

ビジネスパーソンの皆さんが、美を通じて自分自身の脳内で描いた「創造したい世界」を物質化させ社会に実装させていくためにはどうすればいいのか、そのために、「アート」の姿勢や技術をビジネスに持ち込むことを期待して、次章からアートのスキルについて具体的に紹介していきます。

第3章
「アート」のスキル

芸術の本質は、見えるものをそのまま再現するのではなく、見えるようにすることにある。

——スイスの画家・美術理論家　パウル・クレー

アートのスキルとして求められるもの

アートとは、「人間がそれまで生きてきた文脈の中で培った美により、創りたい世界を脳内に想像し、それを共同体に伝わるように物質化する営みである」と前章で述べました。本章では、このメカニズムを明らかにした上で、スキルとして形式知化させることで多くの方々にご理解いただけるようにしていきたいと思います。ここではアートのスキルのコアとなる3つの点に焦点を当てて、話を進めていきます。

1つ目は、「創りたい世界を脳内に想像」し、それらをアイデアとして世の中に提案するための「エナジネーション（Energination）」についてです。これはエナジー（Energy）とイマジネーション（Imagination）を組み合わせたもので、人間から溢れる創造に対するエネルギーを源泉にして、創りたい世界を想像することを意味します。

2つ目は、創りたい世界を脳内に想像する際の判断軸となる「文脈で培った美」で、人々を魅了するアイデアに備えさせるものです。それを本書では「トリハダ美（Torihada Aesthetics）」と言い、心惹かれるものに出会った瞬間に、頭で考えるより先に身体が反応してしまうほどの状態である、まさに鳥肌が立つような感覚を表現しています。

3つ目は、その精神的な存在が共同体に伝わるように「物質化すること」であり、タンジブルな表現へ転換する技術「タンジブル化（Tangiblization）」です。タンジブル（tangible）とは、触知認知可能であるというさまを指し、手で触れられる実体があるものです。インタンジブル（intangible）とは、それ以外のものを指します。つまり、タンジブル化とは、眼に見えない思想などを、眼に見える表現であるモノやコトに置き換えることです。

エナジネーションは、人々の心を揺さぶるほどの新しいアイデアを生みだすための源泉にな

アートとは
└ 人間が
それまで生きてきた文脈の中で
培った美により、
創りたい世界を脳内に想像し、
それを共同体に伝わるように
物質化すること

スキル
┬ エナジネーション
└ トリハダ美
― タンジブル化

ります。このエナジネーションを持ち合わせていないと、創造のスタート地点に立つこともできません。しかし、エナジネーションを身につけアイデアを想像する方法を習得したとしても、良質なアイデアがすぐに出てくるわけでもありません。そのためには、対象となるものが自分自身にとってトリハダ美を感じるものである必要があります。

さらに、それが人々の思想をアップデートさせるほどの魅力的な存在でなければなりません。つまり、一瞬で周囲の人々の鳥肌を立たせるほどの美しいアイデアである必要があります。そして、導いたアイデアを周りの人々に伝わる表現に転換させる力、つまりタンジブル化させる能力も求められます。

その上でどのような媒体で表現するか、媒体上の表現をいかに工夫するかを追求することで、アイデアが多くの人々に伝わるようになります。その結果、多くの共感を集めることができ、多くの人々の思想や行動を変えることにつながるのです。

この3つのスキルを持ち合わせてビジネスの世界で活用することで、イノベーションを生みだすことができ、その結果として競争優位の状況を作りだすことができるのです。

スイスの画家のパウル・クレーは「芸術の本質は、見えるものをそのまま再現するのではなく、見えるようにすることにある」と述べました。本書は「アートの本」であるからこそ、アートの営みにおいて隠れているメカニズムを見える形にし、それを体系化して整理したものをご紹介することに主眼を置いています。

アートのコアスキルである、エナジネーション、トリハダ美、タンジブル化の3つの特徴についても紐解いていきたいと思います。

アートのスキル1／エナジネーション／Energination

エナジネーション（Energination）とは、エナジーとイマジネーション（Energy + Imagination）を組み合わせたものです。これは、創造に対するエネルギーを源泉として、創りたい世界を想像するさまを表しています。

イマジネーション（Imagination）とは想像力や想像性を意味し、現実には存在しないもの、あるいは現実の存在とは異なったものを心に思い浮かべるという行為のことです。創造したい世界やそれらを実現するためのアイデアを、脳内に想像する力とも言えます。まずイマジネーションがアートを生みだすための第一歩となります。想像性は、発想力とも言われますが、センスのある人間がもつ「特別なスキル」であると思う方もおられるのではないでしょうか。筋力を付けるために日々トレーニングが必要であるように、発想力もトレーニングによって強化することができます。しかしながら、これまでこうした発想力を方法論として取り入れる際、発想する人の思いと切り離され、それが思考法として語られてきた傾向が見受けられました。

さらに、デザイン思考やアート思考の進展により、アイデアを出し合う方法論（アイディエーション）は、ビジネスの世界でも広がっていきました。その結果、会議室に社員を集めてお互いのアイデアを出し合うというようなことが増えていったのです。この方法自体は間違っていなかったかもしれません。でも、そこに集まる人々が、上司の指示や他部署からの依頼の下で、仕事としてアイデアを出し合っているだけでは、良い成果など得られるはずはありません。この結果、アイディエーションという方法論に対して懐疑的な思いを持つ人も増えてしまったのです。

良いアイデアというのは、受動的な態度で生みだされるものではありません。あくまでもアイデアを生みだす人が、どれだけ主体的な姿勢を持っているかが問われます。そのためにはアイデアを出し合う活動の意義や意味がそれぞれの人の中で明確になっており、アイデアを出すことに対して主体的な状態であることが不可欠なのです。まさに想像性を発揮するためには、その人が持つエネルギーが求められるのです。

今回、イマジネーションという言葉に、アイデアを生みだそうとする人間の熱い気持ちや志、そのアイデアを生む努力の源泉となるエネルギー（Energy）を組み合わせたものを、「エナジネーション」として私が命名しました。

エナジネーションのポイントを3つご紹介しましょう。

1. 身体的行動により内発的に動機が生まれ、創造力が高まる

2. サイエンスの検証を積み重ねることにより発想する

3. 物事の見立てを変えることにより、経験則に引きずられたバイアスを外す

Point 1 ―身体的行動により内発的に動機が生まれ、創造力が高まる

内面から自発的に発生する内発的動機は、エナジネーションの語源でもあるエネルギーにも該当し、創造力の源泉となります。

この内発的な動機と創造する行為は、切っても切り離せない関係です。また認知脳科学の面からも内発性と創造力は、一種の相関関係があると言われています。脳の活動には賦活（ふかつ）と抑制があり、内発性に関して賦活の中心となっている部位が内側前頭前皮質です。この部位は、内省、つまり内発性に関係しているデフォルト・モード・ネットワーク（DMN）という神経回路のハブになっていますが、このDMNが活性化することにより創造力が高まり、それにより内発性と創造力もリンクすると考えられているのです。

つまり、自らが創造したいという気持ちを内発的に醸成することこそが、アイデアを発想する際の必要条件となるのです。

では、その内発的な動機はどのようにして生まれてくるのでしょうか。それは身体的行動と大きく関係があり、椅子に座って思考するだけでは内発性は醸成されにくく、創造力も高まることにはつながりません。

ここでコーチングに造詣が深い、須子はるか氏の著書である『自転車ランプの法則』の一説

を紹介したいと思います。同書ではセルフコーチングのノウハウがわかりやすく説明されています。ペダルをこぎ始めるとランプが点灯し、ペダルが止まるとランプが消灯するという自転車のランプの仕掛けを例に挙げ、ペダルをこぐだけで未来が変わるということを、須子氏は述べています。ペダルをこがない限りランプは道を照らすことができないため、先は見えません。また先が見えないからといってただじっとしているだけでは、何も起きません。つまり人生において経験を積むというペダルをこがない限り、気づきを得ることはできないばかりか、創造力も醸成されないのです。

このように、頭を働かせて思考することはもちろん大事ですが、手足を動かし、五感を研ぎ澄ませ、身体全体に刺激を与えることも忘れてはいけません。そうすることにより、身体の感覚を通じて、世界の見方を変えることができ、創造力も高まっていくのです。

その中でも触覚が極めて大事であり、３つ目のスキルであるタンジブル化する行為がカギを握ります。

「美しい椅子」の制作では、タンジブルな表現を行うときに得られる「物事に対する気づき」の数がインタンジブルな表現を行うときよりも、圧倒的に多いことがわかりました。なぜなら、身体的な行動というのは、言語的な活動よりも感覚からの気づきを獲得しやすいからです。特にタンジブル化のプロセスにおいては身体的な行動が、触覚に作用するという特徴を持つ点も

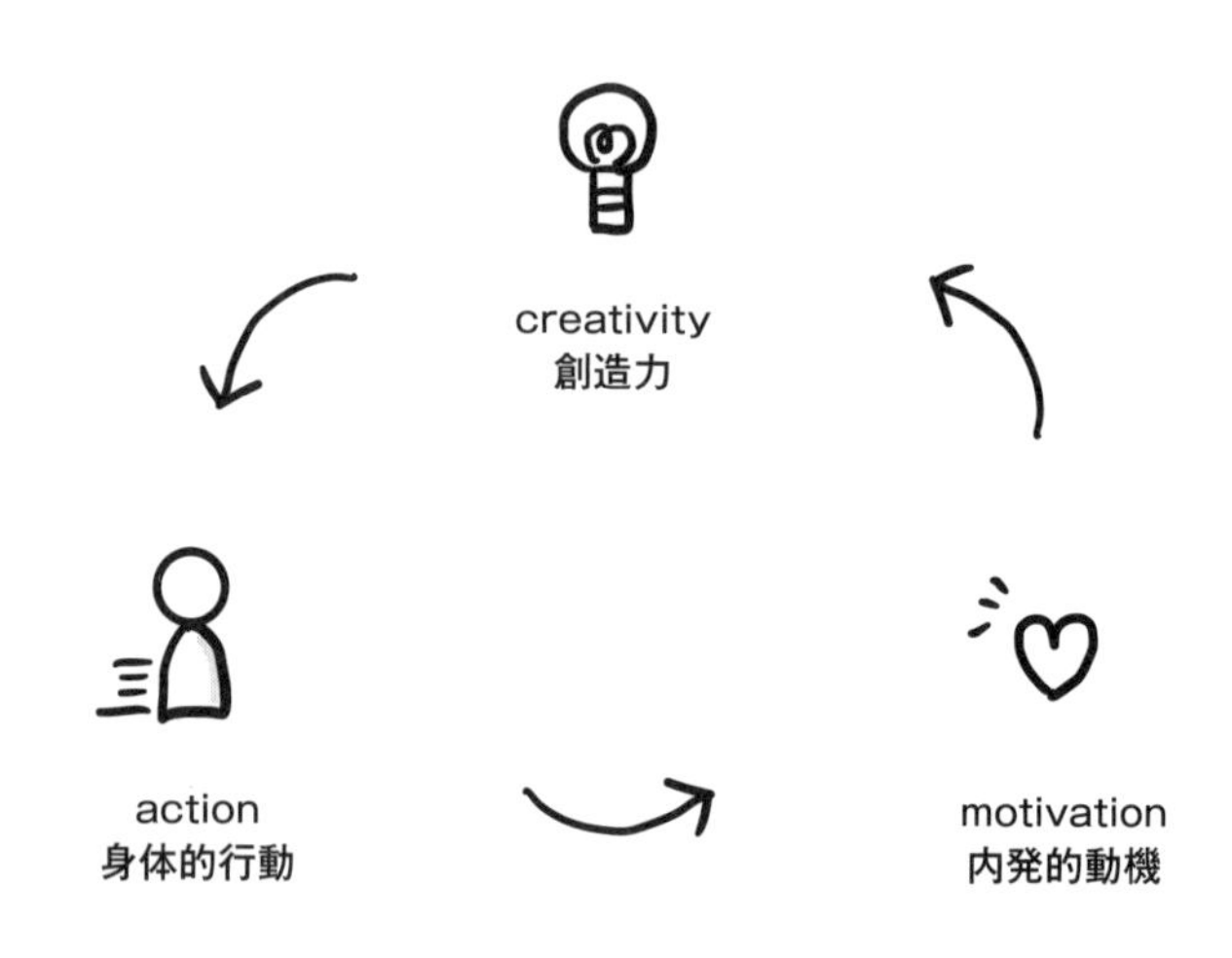

重要です。視覚や聴覚から得られる情報だけでなく、指先を通して触覚から得られる情報は、アイデアを生む際、非常に有用なものとなります。

これは身体と頭を使い、動き回って会得する知性であるため、身体知とも呼ばれますが、これがどれほど多く蓄積されているかにより、新しいアイデアの発想量と質が決まります。また、身体を動かして多くの気づきを得ることで、アイデアに対する思いがより強まり、内発的にも動機づけられ、その結果として創造力が大きく喚起されていきます。これで、「授かり効果（Endowment effect）」による解釈も可能となります。ここで言う「授かり効果」とは、心理学や行動経済学で述べられている理論の一つで、自分自身が所有するものは、他人の評価以上の価値を持つとみなす傾向をさします。つまり、自分自身の行動により見つけたアイデアに対する価値を感じることで、創造力が醸成されていくのです。

そのためにはまずは「何か新しいものを創造したい」という内発的な思いからスタートすることが欠かせません。その後で、自分自身の思いやアイデアをよりよいものにするために探索を行ったり、タンジブル化を行ったりするなどの身体的な行動により、新しい気づきが生まれ、アイデアも進化（深化）していくのです。

さらに、最終的にそのアイデアが、タンジブルな表現として提示されたときに、それが内発的な動機に基づいて創られたものかを周囲の人々は一瞬にして感じとります。つまりそのタンジブルな表現として転換された媒体に対して、作り手の思いがどれほど乗っているのかどうかを媒体自体が示してくれるのです。

美大における授業では、課題に則り、作品を作り、教授陣から講評を受ける多くの機会に恵まれました。そこでは、教授陣はそれぞれの作品に作り手の思いが乗っているかを一目で見極めていたのです。作品が課題通りに出来ているかも評価の対象となりますが、作品が作り手の内発的な動機に基づいて制作されているのかが最も問われ、そのような作品は高評価となる傾向がありました。

ビジネスの世界も同様であり、製品やサービスを通して、作り手の志の高さが滲み出します。

その思いに魅了されて、顧客は購買を決断することもあるでしょうし、ひいては市場で認知されることにつながっていくでしょう。顧客へ新しい価値を届け、関係者から協力を得るためにも、この滲みでる内発的な動機が不可欠なものとなります。

このように、アイデアを想像する行為は内発的な動機を源泉にしていますが、これはいわゆるエネルギーに相当するものです。それがビジネスの成功のカギとなることをおわかりいただけたでしょうか。このことを心に留めた上で、次のポイントを見ていきましょう。

Point 2 ｜サイエンスの検証を積み重ねることにより発想する

素晴らしいアイデアが生まれるというのは、何かしらの発想が突然天から降りてくることであり、再現性のない手法であると思われる方もおられるでしょう。しかしながら、アイデアが生みだされるメカニズムは存在するのです。これを知っておくと、よいアイデアを生むためのヒントになります。そのためには、サイエンスによる検証を積み重ねて、正しい推論法でアイデアを導くことがポイントとなります。

アイデアを生みだすためのメカニズムを理解していただくために、ここでは推論法を中心に説明していきます。

分析的な推論	演繹法 deduction	AならばB BならばC ゆえにAはCである	論証
拡張的な推論（広義の帰納法）	狭義の帰納法 induction	A1はPである A2はPである すべてのAはPである	正当化
	発想推論 abduction	Aである Hと仮定するとなぜ Aなのかうまく説明できる よってHである	発見
	類推 analogy	A1はPである A2はA1と似ている A2はPである	

出典：戸田山和久氏『科学哲学の冒険 サイエンスの目的と方法をさぐる』を基に筆者が作成

推論法は、大きく「分析的な推論」と「拡張的な推論」に分かれます。

まず、「分析的な推論」は演繹法（ディダクション、deduction）と呼ばれていますが、これは、「AならばB、BならばC、ゆえにAはCである」というものであり、分析的に事象を論証するために活用されます。

次に「拡張的な推論」ですが、狭義の帰納法（インダクション、induction）、発想推論（アブダクション、abduction）、類推（アナロジー、analogy）の3つが該当します。

狭義の帰納法は「A1はPである。A2はPである。すべてのAはPである」で示され、事象を拡張して捉え直す際によく使用されます。

発想推論と類推は「発見の推論」とも言わ

	発想推論	ニュートンの例
推論内容	Aである Hと仮定するとなぜAなのかうまく説明できる よってHである	何もしないのに、リンゴが木から落ちる。物体の間で力が働くと仮定すると、なぜリンゴが木から落ちるのかについてうまく説明できる。よって、物体の間で力が働いているはずである
驚くべき事実	A：創造的であるとされる所以	何もしないのに、リンゴが木から落ちる
活用する知識	Aが驚くべき事実か否かを判断するために必要となる知識	何かをした場合に、その力が働く
未知の仮説	H：創造的なアイデア仮説	物体の間で力が働く

れており、アイデアを生みだすために使うとよいとされています。

発想推論は、「Aである。Hと仮定するとなぜAなのかをうまく説明することができる。よって（きっと）Hである」というものです。類推は、他の現象から似ているポイントを発見し、それを対象の事象に当てはめることにより、新しい発見を導くという方法となります。

では発想推論のメカニズムについて、詳しく見ていきましょう。

アイザック・ニュートンはリンゴが木から落ちる様子を見て、万有引力を発見しました。これが発想推論の一例としてよく使われている事例です。上の表でいえば、驚くべき事実Aは「何もしないのに、リンゴが木から落ちる」であり、未知の仮説Hは「物体の間で力が働く」となります。これを、発想推論の公式に当てはめると、「何もしないのに、リンゴが木から落ちる。物体の間で力が働くと仮定すると、なぜリンゴが木から落ちるのかについてうまく説明することができる。よって、物体の間で力が働いているはずである」となります。

この公式における「仮説Hの発見」が「創造的なアイデア」とされる部分であり、さらに「驚くべき事実Aが創造的である」とみなされる所以です。つまり、未知の仮説を導くために非常に重要となるのが、「驚くべき事実」を見つけることであり、これが想像力における重要なポイントとなります。

では、私たちはどのようにすれば「驚くべき事実」を見つけることができるのでしょうか。

ズバリ「活用する知識や経験の深さ」「考えている量の多さ」がカギとなります。それは、驚くべき事実として取り出した事象が、果たして「驚くべき事実」であるのかどうかを判断する必要があるからです。その領域における知識や経験、考える深さが不足していると、自分にとって驚くべき事実であったとしても、他人にはそうではない、という状態に陥ってしまいます。つまり、この「驚くべき事実」を発見するためには、その領域における専門性を高め、知識や経験を活用し、演繹的かつ帰納的にこれまでの事実を検証し続けることが求められるのです。

このように、アイデアを生みだすためには、専門性の高い知識を身につけて、演繹的かつ帰納的な検証を重ねていくことが不可欠となります。演繹的かつ帰納的な検証をサイエンスとして捉えると、この思考の延長線上において驚くべき事実の発見があり、それにより素晴らしいアイデアの創出が可能になると言えるのです。

また「ひらめき」と言われる、一瞬にしてアイデアがひらめく現象も、同様に説明がつきます。ひらめきを得やすい状況や環境のことを英語でShower time creativityと言いますが、これは、シャワーを浴びているときや、夜コーヒーを飲みながら休んでいるときに良いアイデアを思いつくことが多いためです。つまりこれは前述の推論法が脳内で無意識に行われている状態ですが、これも専門性の高さ、知識力と日々の演繹的かつ帰納的なサイエンス型の思考の繰り返しにより成り立っていると言えます。

このように、発想推論でアイデアを導くためには、「驚くべき事実」かどうかを判断できる能力が必要なのです。別の言い方をすれば、演繹的かつ帰納的な推論で検証を積み上げ、知識や経験を総動員して一つの解を導きだす必要があるということになります。

これまでサイエンスは、アートや発想の対抗軸として用いられてきました。しかし、アートの営みには、サイエンスをフルに活用することが必要であり、そのためにもサイエンスの存在は不可欠なのです。

Point 3 ｜物事の見立てを変えることにより、経験則に引きずられたバイアスを外す

ここまでアイデアを生みだすために求められる推論法を中心に説明をしてきました。しかし、演繹的かつ帰納的な推論により検証を積み上げても「驚くべき事実」を導き出せない場合があり、それらは検証を積み上げる領域を見誤っているときに起こります。

先ほどのニュートンの例で言えば、「何もしないのに、リンゴが木から落ちる」という驚くべき事実から、「物体の間で力が働く」という仮説が導き出されています。しかし、「何もしないのに」ではなく「リンゴを下に押す力が木に存在するため、リンゴが木から落ちる」という仮説を立ててしまうと、その事実を解明するための検証対象は、「木の作用」となり、新しい発見を導くことはできなかったでしょう。

では、どのようにすれば検証すべき領域を見つけることができるのでしょうか。

それは、自分自身に存在するバイアスを外すことです。認知脳科学の観点からも創造力を発揮する際にバイアスを外す大切さが指摘されています。つまり創造力を高めるためには、まず社会規範などで抑制された脳を一度リセットし、次に抑制されたレバーを外すことにより「枠

組みの監獄」であるバイアスを外す必要があるのです。このレバーをいかに外すかがポイントとなりますが、これにより、新しいアイデアを想像することが可能となります。

先ほど、経験や知識に立脚したサイエンス的な思考により物事の検証を繰り返し行う必要があると述べました。しかし、このとき、引きずられてはならない経験則の存在にも気づく必要があります。自分自身のこだわりが、未知のアイデアを生みだすことに不可欠な知識なのか、外さなければならないバイアスなのかを見極める必要があります。素晴らしいアイデアに辿り着くためには、経験を活かしながらも、経験則に引きずられたバイアスをいかに外すかというバランスが重要となるのです。ここが非常に難しい点です。

アートの世界においても、描画などの高い技術、知識や経験を身につけながらも、バイアスを外すことに苦労したことが窺えるアーティストの言葉がいくつも残されています。例えば印象派を代表するフランス画家クロード・モネは、「自分は盲目に生まれてくればよかった」と言っています。このことは、ケネス・クラーク著、高階秀爾訳の著書『絵画の見かた』において、「盲目に生まれてきて、そしてある日突然目が見えるようになったとすれば、自分の目は、記憶や先入観によって影響されることなく、全く純粋に外界を見ることができるだろう。〝そのとき、自然は何と美しく多彩な輝きを見せてくれることだろうか〟というのが、モネの言いたかったことである」と記されています。

では、どのようにすれば自分自身のバイアスを外せるのでしょうか。

まずは、自分自身にバイアスが存在し、それを外す必要があるのを認識することです。例えば心理学などでよく例に挙げられる錯視という実験があります。内向きと外向きの矢印がつく2本の直線を見せて、どちらが長いかを考えてもらうというものです。2本の直線の長さは同じですが、錯視により片方が長く見えてしまうという現象です。これは視覚からくるものですが、このようなバイアスが存在することを知ることで、次に同じものを見たときに直線の長さは同じかもしれないと察することができます。

次に役立つのが、物事の見立てを変えることです。これはリフレーミングとも呼ばれ、ある枠組み（フレーム）で捉えられている物事の枠組みを外すことで、これまでと異なる枠組みで見る状況が生まれます。特に「解くべき問い」に対してリフレーミングを行うのが有効です。

まず発想推論における「検証すべき領域」を見つけるには、「適切な問い」に向き合う必要があります。問いの質により、それに対する解の質が決定づけられるためです。言い換えると、自分の中にあるバイアスを外すことを促す問いを立てることが重要であることを意味します。適切な問いが立てられていなければ、どうもがいても適切な「検証すべき領域」を見つけることも、「驚くべき事実」に出会うこともできません。

先ほどの例で解説します。誤った検証領域で「木の作用とは」という問いに向き合っていたとして、それを防ぐために、「木とリンゴの作用とは」と対象物を変えたり、「木と地球の作用とは」と見立てを変えることにより、発想の起点となる問いを見直します。さらに、問いの内容の抽象度を上げ、「物体同士の作用とは」と捉え直すことにより、自分自身の思考を正しい検証領域に導くことが可能となります。

なお、見立てを変えるための一つの方法は、「二律背反の問いを立てる」ことです。自己のバイアスを外すために、当たり前とみなされているものにあえて相反する要素を問いとして加えてみる。つまり「XだけれどもYといった要素を持つ○○のあり方はどうなるか?」といった問いです。例えばある人が「木がリンゴを下に押す力がある」と思い込んで「木の作用」を対象領域として検証したとしましょう。そこで、「木は動いていないけれども、何かの力が働いているとすると、その作用はどうなるか」という問いをあえて立ててみるのです。すると、「木が動いていないのは、地球が物を下に引く力があるためである」となり、ここで初めて「リンゴと地球の作用」を検証対象とすることが可能になります。

以上をまとめると、こうなります。素晴らしいアイデアとなる「驚くべき事実」を見つけるためには、正しい検証領域を定めることが第一に必要となります。これまでの知識や経験で培われた既存の枠組みを冷静に見つめ直すことで、「解くべき問いの見立て」を変えてみるのです。そうすることにより、独自性のあるアイデアを生みだすことにつながります。つまりアイデアを想像するということは、サイエンス的な思考による検証の積み重ねと、物事の見立てを変えることにより自己のバイアスを外すという複合する思考により成り立つものと言えます。

Column　美大授業　大人になってからもエナジネーションは習得できる？

私が経験した美大の授業「アート実習」についてお伝えします。これは、実習当日の朝に課題を与えられ、そこから作品の制作を行い、同日の15時に作品を展示し講評を受けるというものでした。ある日の課題は「ある映画監督が語ったアヒルの姿を、その表現・言葉だけを頼りに、美しいアヒルを作ってください」というもので、次のような内容でした。

映画監督デイヴィッド・リンチ　『美術手帖』のインタビュー（1991年3月号）

アヒルに関してはそのプロモーションとかテクスチュアでとても面白いことがあると思うんです。

大きさや長さも特定のものでなければいけない、あるいはテクスチュアに関しても特定のものだということが言えるわけですね。例えば羽を取ってみても、特定のテクスチュアを持っている。羽自体は、長くはなくて短いんですけれども、特定のものだと考えられるわけです。

さて、まず頭を考えてみると、これは特定の大きさのものであって、特定のテクスチュアを持っている。

次に首の部分を考えてみると、私は首と頭を一体として捉えているんですけれども、首と頭はテクスチュアが違う。

次に体の方に移ると、（中略）

だから、（目が）頭のど真ん中に付いていて、それでバランスが取れているということ自体が、美しいと思うんです。（笑）

リンチ監督はこのような調子でアヒルの姿について語っています。ここでは、頭・胴体・足などのパーツごとに、テクスチュアの違いを言葉で表現しています。ちなみに、テクスチュアとは、表面の感触や材質感のことです。

このように「言葉のみで表現された内容に合った美しいアヒルを作る」、という課題が与えられました。一年目の授業でこの課題に取り組んだときには、ある種のルールのようなものに従う必要があること、本物のアヒルの画像を見てそのまま作ってはいけないということはわかったのですが、それ以外は思いつくことができませんでした。

当時、スケッチブックに向き合うだけで材料を探しにも行かず、考えることだけに多くの時

1年目

2年目

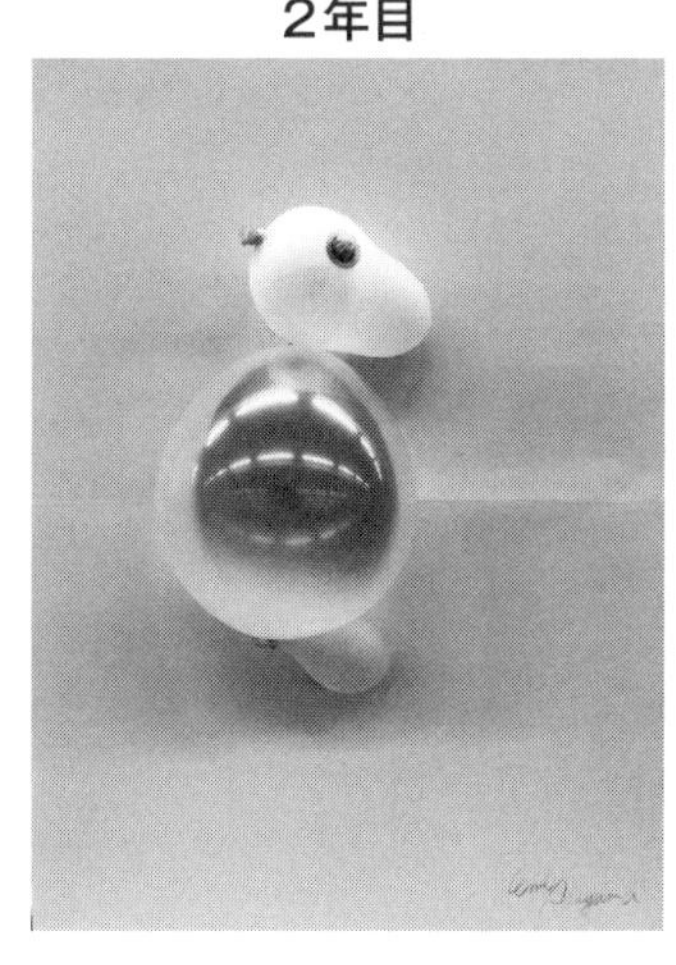

（筆者撮影）

間を費やしていました。そのため、作品を制作するために手を動かした時間も短く、最終的に仕上げた作品は決してうまくいったとは言えないものでした。この授業における学びは不完全燃焼だったため、二年目も再受講することにしました。すると、驚くべきことに、全く結果が違ったのです。左が一年目の時に制作したアヒルで、右が二年目に制作したアヒルですが、違いは一目瞭然ではないでしょうか。

一年目は、既存のアヒルの形、いわゆるバイアスに引きずられたことにより、羽っぽい雰囲気を作ろうとして白い紙を短冊状に切り刻む作業を進め、それを最後まで行いました。一年目は「美しいアヒルではない」の一言です。二年目は、いろいろ試している中で、風

	1年目	2年目
問い	示されたテクスチュアの条件を満たす美しいアヒルとは？	異なるテクスチュアで表現しながらも統一された美しい生命体の表現とは？
驚くべき事実	（特になし）	同じ白い風船を膨らませただけなのに大きさによって少し透明度が違うんだ…
活用する知識	紙を短冊に切る幅で異なるテクスチュアが出せる	風船のゴム素材は伸縮の強さによって異なるテクスチュアが出せる
未知の仮説	（特になし）	風船の膨らませ方の違いだけで表現すると、きっと美しい造形になるだろう

船の素材と偶然出会うことができました。風船を膨らませると、膨らませ方によりテクスチュアが変わることに気づいたため、それを起点に制作を進めました。

先生方からも「これは面白いですね。風船の膨らませ方によって違いを出すことで、課題に書いていた通りの目・頭・胴体・足のテクスチュアが表現され、パッと見ても美しい。なるほど！という感じですよ」との講評をいただきました。同級生からも「アイコンにしたい、カワイイ！」と共感の声をもらいました。

何が違ったのでしょうか。単に造形力が向上したということではありません。ここに至る推論の方法が異なっていたのです。

一年目は思考の過程において、「驚くべき

事実」と出会っておらず、活用した知識に深みがないということです。アヒルの頭や胴体を表現する際、テクスチュアの違いを表現する必要がありましたが、紙を短冊に切る幅に違いを持たせるという発想だけで終わっていました。その一方、風船のゴム素材の膨らませ方によりテクスチュアが変わるという性質を利用することで、作品が面白くなるのではないかということに気づいたのです。

バイアスから脱却できているかどうかも問われました。そのため、アヒルの姿・形をよく知っていることがマイナスの要素に働いたのです。実在するアヒルの羽のような素材を無意識的に探してしまい、羽を表現するために紙を短冊状に切るとよいと思い込み、羽に近い表現を選択してしまったのです。まさに悪しきバイアスです。

二年目は、このバイアスを外すことができましたが、身体的な活動がカギとなりました。単に思いを巡らせているだけでは、推論に必要な「驚くべき事実」に気づくことはできなかったと思います。スケッチブックでいくつかのアイデアを描き出した後、多くの素材に触れられそうな場所（百均ショップ）に出向きました。そこで想像もしなかった素材である、ゴム風船と出会ったのです。手を動かして制作して、失敗するといった試行錯誤を経て、風船という複数のテクスチュアを表現することができる素材の面白さに気づき、新しいアイデアを発見することができました。

「若干の狂気すら感じるカワイさがアヒルから滲み出ている」というコメントをもらった一年目でしたが、二年目のほうが美しいアヒルに近いと言えます。このように、アイデアを想像する際、エナジネーションの3つのポイントを押さえているかどうかで、明らかな結果の違いが出ることをご理解いただけたのではないでしょうか。

Lesson 一物事の見立てを変える練習をする

エナジネーションを発揮する際、自分の中にあるバイアスをすぐに外すのは難しいです。それをできるようにするために、日頃からバイアスを外す習慣をつけることをお勧めします。また、そのための練習を自力で行うことは大変難しいので、新しい刺激を意識的にインプットしていくようにしましょう。

独創的な作品を制作するアーティストをSNSでフォローする

バイアスを外す練習の一つとして、物事の「見立てを変える」方法があるということをお伝えしました。手っ取り早い方法として、独創的な表現であると感じる作品を見つけては、そこで得た気づきを自分自身の中に蓄積していくことが大事となります。

そのために、自分自身の心に響いたものをInstagramなどのSNSでフォローしておくことです。それらの投稿の中で自分自身の感性に触れるものに出会う機会を意図的につくることで、独創的な作品を通じて「面白い」という感覚を養っていきます。独創的な試みを行っているアーティストを見つけたら、その方の作品を見ることができる環境を整えましょう。SNSなどで検索し、そのようなアーティストをフォローする形でもよいです。いずれにしても、見立てを変える作品に出会う頻度を高める工夫を行っていきます。

私のお勧めは「見立て作家」の肩書を持つ、ミニチュア写真家の田中達也氏です。ミニチュア世界の作品ですが、ミニチュアの人形を、日常生活で使う物の上に置き、あたかも違う風景に見えるかのような世界観を表現しています。つまり日常生活で使うあらゆるものを上手に活用することで、風景に見立てたり、乗り物に見立てたり、全く異なるものに見立てているのです。田中氏はInstagramのアカウントで頻度高く発信しているので、フォローしておくと、その都度新しい刺激を得ることができるでしょう。

メタファーを日常的に使って表現する

バイアスを外す方法としては、メタファー（比喩）も役立ちます。そのためには、考えていることを具体物で表現してみることが大事です。例えば、アイデアや伝えたいことを、何かの物

（例えば文房具など）にたとえ、自分自身で何かテーマを決めて、そのテーマの中においてどれに近いのかを考えてみてください。そして、「なぜそれを選んだか」について反芻してみるのです。そうすることで、アイデアについて言語化できなかった部分が言語化できるようになり、自然と自分自身のアイデアも洗練されていくでしょう。

さらに、「たとえた物」についても描いてみます。アイデアそのものを絵にするのは難しいですが、たとえとして使った具体物を絵にしてみることで心理的なハードルが下がり、言葉以上の刺激を自分自身に与えることができるためです。それは、見立てを変えるために必要な刺激でもあり、それによりバイアスから逃れ、自分自身の考えをさらに発展させることにもつながります。

アートのスキル２／トリハダ美／Torihada Aesthetics

とはいえ、エナジネーションを身につけて、アイデアを想像する方法を習得できたとしても、魅力的なアイデアを生みだせるとは限りません。そのためにはアイデアを生みだす際に、「これが魅力的である」と決断することができる軸を持つことが必要となります。アイデアを発想し検証する過程において、このような「魅力的な域に達した」という思考や作業の手をあえて止めるための軸を持っていないと、いつまで経ってもアイデアをこねくり回すだけで、時間切れとなってしまいます。最悪の場合、魅力的でないものであっても自信たっぷりに世に出してしまいかねません。アーティストは作品を世に送り出すまでに、幾度となく作品を作り直していますが、その都度最適な意思決定を行っているのです。

一方、これまで正解がある問いに向き合ってきたビジネスパーソンにとって、アーティストと同じように振る舞うということは、難易度が高い行為となります。経営環境の変化により厄介な問題に応える必要がある、つまり魅力的かどうかで物事を判断する軸を持つ必要があるということも先ほど述べました。しかしながらこの軸は既存データや事象を使い、数的根拠をベースにして正解・不正解を出す軸とは明らかに異なるものです。アートで求められるのは、正解がなくファクトもない案に対して、良し悪しを判断できる軸でなければなりません。これからの時代は、その軸をビジネスパーソンも持ち合わせる必要があり、そのために必要となる判断の軸が「美」ということになります。

本書では、この「美」を「トリハダ美（Torihada Aesthetics）」と言い換えて文章を展開していきます。鳥肌といえば、寒さを感じたときに肌が変化する状態を想像する方も多いと思いますが、感動したときや衝撃的な出来事に出会ったときに立つ鳥肌をイメージして、私が命名しました。これは高橋歩編著の『人生の地図』にある「BELIEVE YOUR トリハダ　鳥肌は、嘘をつかない。人生は、感性で決める」からインスパイアを得たもので、「トリハダが立つほどの、自身の感性に響くものにチャレンジせよ」という意味です。頭で考えるのではなく、トリハダを感じるほどの無意識下で物事の判断を行う、それがアイデアを決定する際にも適用できるとしてこの言葉を考え出しました。

つまり自分自身のトリハダ美を信じて、これこそが魅力的なアイデアであると意思決定を行っていくことを目指すというものです。このように、トリハダ美とは、エナジネーションで導いたアイデアを、魅力的だと判断するために必要となる自分軸のことを指します。

ここから、「トリハダ美」の3つのポイントを紹介していきます。

1. 美の感性をもって意思決定する姿勢を互いに受け入れる
2. 美のベルカーブの芯である「造形美」「意義」を捉える
3. 美の芯を捉える感性は、探すのではなく研くものである

Point 1 ─ 美の感性をもって意思決定する姿勢を互いに受け入れる

このトリハダ美を、実際のビジネスで活用することを難しい、と感じる方もおられるかもしれません。「経営上の意思決定において感情に左右されずに、理性的かつ合理的な意思決定を行っているか」と聞かれれば、ビジネスの世界においてほとんどの人が「そうしている」と答えるのではないでしょうか。

しかしながら、最新の認知脳科学の研究結果から、人間の意思決定は、非理性的な感情や情動をつかさどる脳部位でなされることが多く、必ずしも理性的かつ合理的な意思決定を行うとは限らないことがわかっています。また、情動情報理論に関する研究においても、時として情動が認知より先行するということがわかっています。このように、イノベーションの意思決定において、人間の意思決定は合理的な認知に基づくものではなく、感情に左右される意思決定となり得ることが指摘されているのです。

また、これまでのイノベーションの研究においても、イノベーションを生みだす状況下では、合理的な意思決定は難しいということがわかっています。なぜなら、合理的な認知プロセスは、情報が完全であり、選択肢とその結果が明確であることが前提となりますが、イノベーションの創発において、限られた時間の中で、すべての選択肢を並べることは不可能だからです。また、すべての選択肢を並べ、正しく計算を行ったとしても、人間の認知能力や計算能力には限界があり、最高の選択ができるとは限りません。そうした限界を踏まえつつ、決断を迷う2つの選択肢が存在するときには、結局、主観や直感で選ばざるをえないのです。このように、理性的かつ合理的な意思決定とされているものに対しても、実態としては主観的に自分自身が満足できる基準において何らかの判断を行っているにすぎないのです。

このように、ビジネスの世界では合理的な意思決定がなされていると言われているものの、案外感情的な要素で決められていることが窺えます。

では私たちの意思決定において、「美」はどのような役割を担っているのでしょうか。先に述べたように、認知脳科学では、美を感じたときに、それが良いことであるとする「善」や正しいことであるとする「真」と同等の価値を持つものとして認識されます。つまり、この美によって導かれたビジネスのアイデアについては、善い、正しいものとして捉えられていると言えます。それを実証する結果が、筆者独自のビジネスパーソンに対する質問紙調査（研究1：調査方法については巻末に記載）によっても導かれました。

イノベーションに相当する可能性をもつビジネスアイデアを用意し、それらに対して「承認したいか否か、美しいと感じるか否か、そのほか収益性が高いと感じるか」などの質問（指標）に回答してもらいました。その結果、ビジネスアイデアを前に進めることを認める意思決定と、それらのアイデアに対して美しいと感じることに強い相関が見られたのです。このようにビジネスでよく使用される収益性や実現性といった指標と相対的に比較しても、美しいと感じるかどうかの判断が、アイデアを前に進めるための意思決定と強い相関関係にあると示されました。

これまで、ビジネスアイデアに対する意思決定は、理性的かつ合理的な判断によって行われているとみなされてきましたが、この結果から美による判断が暗黙的になされていると解釈できます。このことからも、「トリハダ美によりアイデアを判断することができる」という本書の趣旨は合致していると思われます。またこのトリハダ美が、正解のない「厄介な問題」に向き合う際に重要な判断軸となります。なぜなら判断軸が曖昧で不明瞭であったためにイノベーティブなアイデアを決断できないという課題が存在し、それが決断できると、イノベーションを一気に後押しすることにつながります。

これまでビジネスの世界においては、「感情に左右されず、常に冷静で、理性的かつ合理的に意思決定をしていく」という形が一般的でしたが、今後は「美の感性によって主観的に意思決定をする姿勢」を皆が受け入れる必要があると言えます。従来型の理性的な意思決定にこだわり続ける人が多いと、優先されるべき主観的な判断がおざなりになり、イノベーションの障壁となってしまいます。そのため組織全体としてこれを受け入れる態勢を整えていかなければなりません。

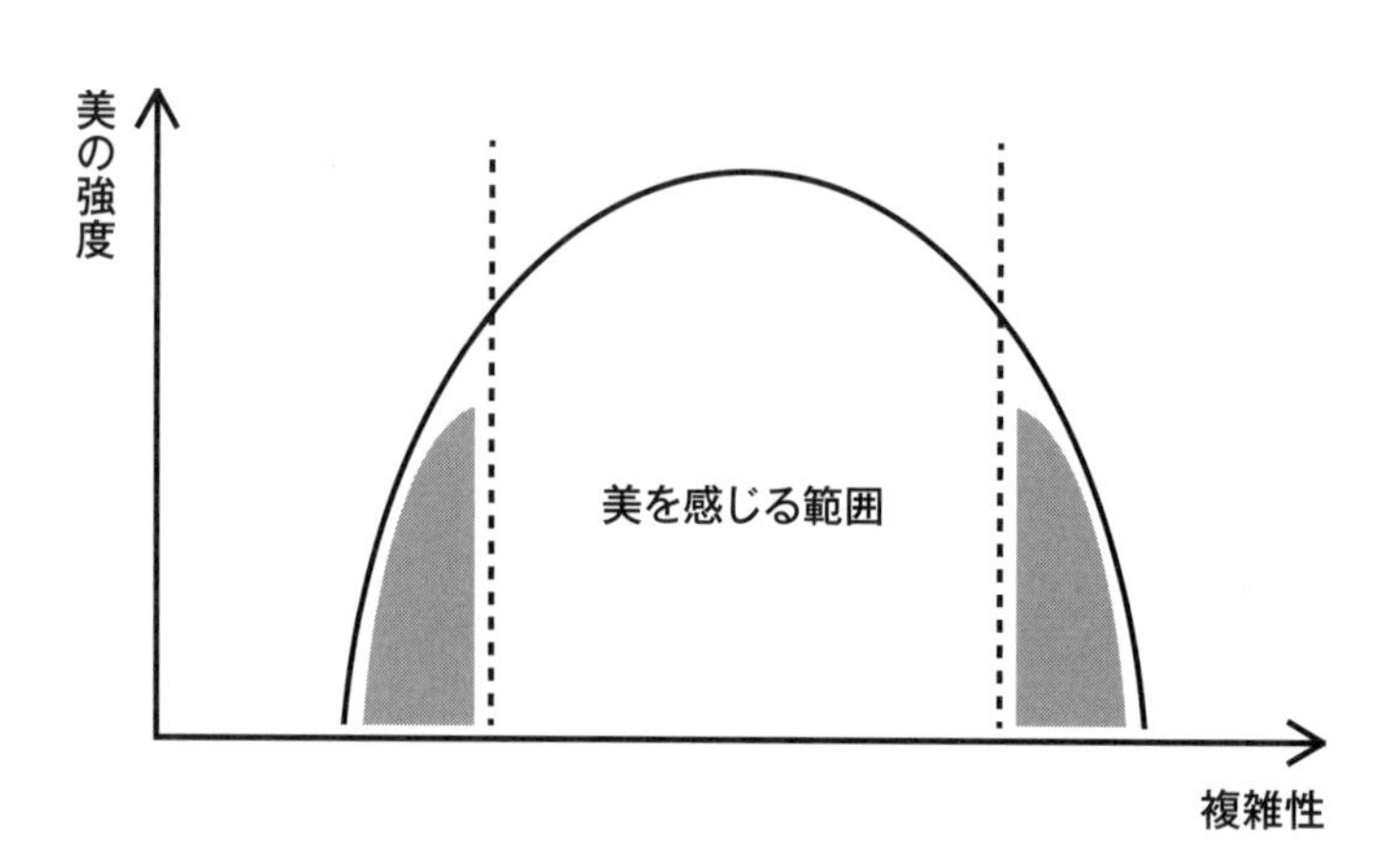

Point 2 ― 美のベルカーブの芯である「造形美」「意義」を捉える

美には生まれつき持っている美と後天的な美があると述べましたが、本書で取り扱う美は後天的な美となります。これは、それまで生きてきた過程で得られる美です。一人ひとり生きてきた過程が異なるため、パーソナライズ化された美とも言われますが、同じ時代、同じ共同体の中で生きていることにより、美を感じる対象は一定程度共通のものとなる傾向が見受けられます。

これも、認知脳科学の研究で明らかになったことです。

19世紀に実施された心理実験「美に共通す

る法則性」を求める研究内容が、非常に興味深いのでここで取り上げたいと思います。右の図のように美の強度を縦軸に複雑性を横軸にとって表すと、ベルカーブ（平均値を中心とした左右対称な山型の分布のようなデータ結果）が示されました。ベルカーブの頂点に近づくほど「美」の強度が高く、裾（左端・右端）に近づくほど「美」を感じないという結果です。その対象がシンプルすぎると美しいと感じにくく、複雑性が高すぎても美しいと感じにくいということです。

つまり、簡単に理解できてしまうものや、全く理解できないものに対して人は美しいとは感じないのです。言い換えると、ちょうどいいシンプルさと複雑性を兼ね備えているものに対して、人間は美しさを感じるのです。ここでは、これを「美のベルカーブの芯を捉える」と表現します。

なお、一目見て美しいと感じるアート作品なども、「美のベルカーブの芯を捉えている」となります。これは、自分にとってシンプルすぎず複雑すぎない作品であり、一目見ただけでトリコになるような鳥肌が立つ感覚を覚える美しい造形のことです。いわゆる「造形美」ですが、本書ではこれを「造形のトリハダ美」と呼ぶことにします。

例えば、着工から100年以上経っても未完成の状態のスペインのサグラダ・ファミリアですが、建物の中から見上げた天井のブルーの鮮やかさや柱や梁の造りも、外から見た塔のフォルムも、細かな遊び心のモチーフも、すべて美しい状態で存在しています。サグラダ・ファミ

ガウディの曲線の形態を求めた逆さ吊り実験（筆者撮影：ガウディとサグラダ・ファミリア展）

リアの建築家アントニ・ガウディが亡くなった後も、後世の人々が遺志を紡いでいるという神秘さもあって、造形のトリハダ美の芯を捉えていると言えます。

私は、ガウディの建築物を見た際、不思議なフォルムかつ個性ともいえる曲線美が、非常に印象に残りました。これは、ガウディがフリーハンドで感覚的に描いたものではなく、自然の摂理で導かれる曲線により成り立っているものです。ひもの両端を持って吊るし、垂れ下がったひもの中心に重りを下げ、そこにできたひもの弛む曲線を上下反転させて曲線の形態を求めることにより、塔を形づくったとされています。

つまり感覚的に美しいと感じた曲線美が、驚くべき合理性に裏打ちされた構造だったのです。ガウディの創造の源泉は、大自然の中に存在する幾何学であり、一見壮大で複雑な造りであると思われる建築物が、自然な摂理に基づいたシンプルな考え方で造られていたのです。

また、美というものは、このように眼に見えるアート作品だけでなく、数式や道徳といった眼に見えないものにも感じるということが、認知脳科学の研究からもわかっています。数学界で最も美しい公式とされる、オイラーの等式 $e^{i\pi}+1=0$ などがこれに当てはまるのではないでしょうか。このように一見複雑な事象であると思われるものが一つのシンプルな形で表現され、広く長く親しまれるものになっているのです。

では、ビジネスの世界における美とは何を表すのでしょうか。これまでの調査により美を感じるのは、承認に値するアイデアであることがわかっています。しかし、アイデアを具現化する過程において、それが必ずしもタンジブル化されて眼に見える形になっているというわけではありません。アイデアという、眼に見えない抽象的なイメージに対して、私たちは美を感じ、それが意味するものとは、「意義を感じるかどうか」です。

神経美学の研究者である石津智大氏は、生きてきた文脈の中で培われた後天的な美は、ユーダイモニアと同義であると語ります。ユーダイモニアとは、意義を感じる目標に向かって努力を重ね、自己実現や生きがいを感じることで得られる幸せの感情を指すものです。つまり、自分自身にとって生きがいと感じられるようなものに出会ったときに、美を感じるのです。

さらに、先ほど示した筆者による独自の調査（研究1）でも、同様の結果が得られたのでご紹介します。「アイデアを美しいと感じる」という美の尺度は、ユーダイモニアに相当する項目との相関が最も高かったのです。それは、取り組むべき「意義」があるアイデアかどうかということです。具体的には、「アイデアを事業として推進するその人自身にとって個人的な意義を感じるか」「自社にとっての存在意義に値するか」という項目に当たります。これらは収益性や実現性などの項目と比べて美の尺度と相対的に最も高い相関関係となっていました。

では、「意義」を感じる美のベルカーブの芯とはどのようなものでしょうか。

このベルカーブが行き過ぎて、その時代の文脈においては受け入れられなかった例として、発明家であるニコラ・テスラのエピソードがあります。先ほど説明したリックのARPANET誕生から数えて約60年前のことです。

1908年、ニコラ・テスラは「ニューヨークにいるビジネスパーソンが、ロンドンにある自分のオフィスとやり取りすることが可能になる」「時計ぐらいの大きさのもので、どこからでも写真、絵、文字などをやり取りできるようになる」と、世界的な通信ネットワークの実現を提唱しました。これはインターネットが出てくる随分前のことです。当時、〝インターネットのようなもの〟は技術的に実現可能であったにもかかわらず、誰もその魅力や重要性に気づきませんでした。

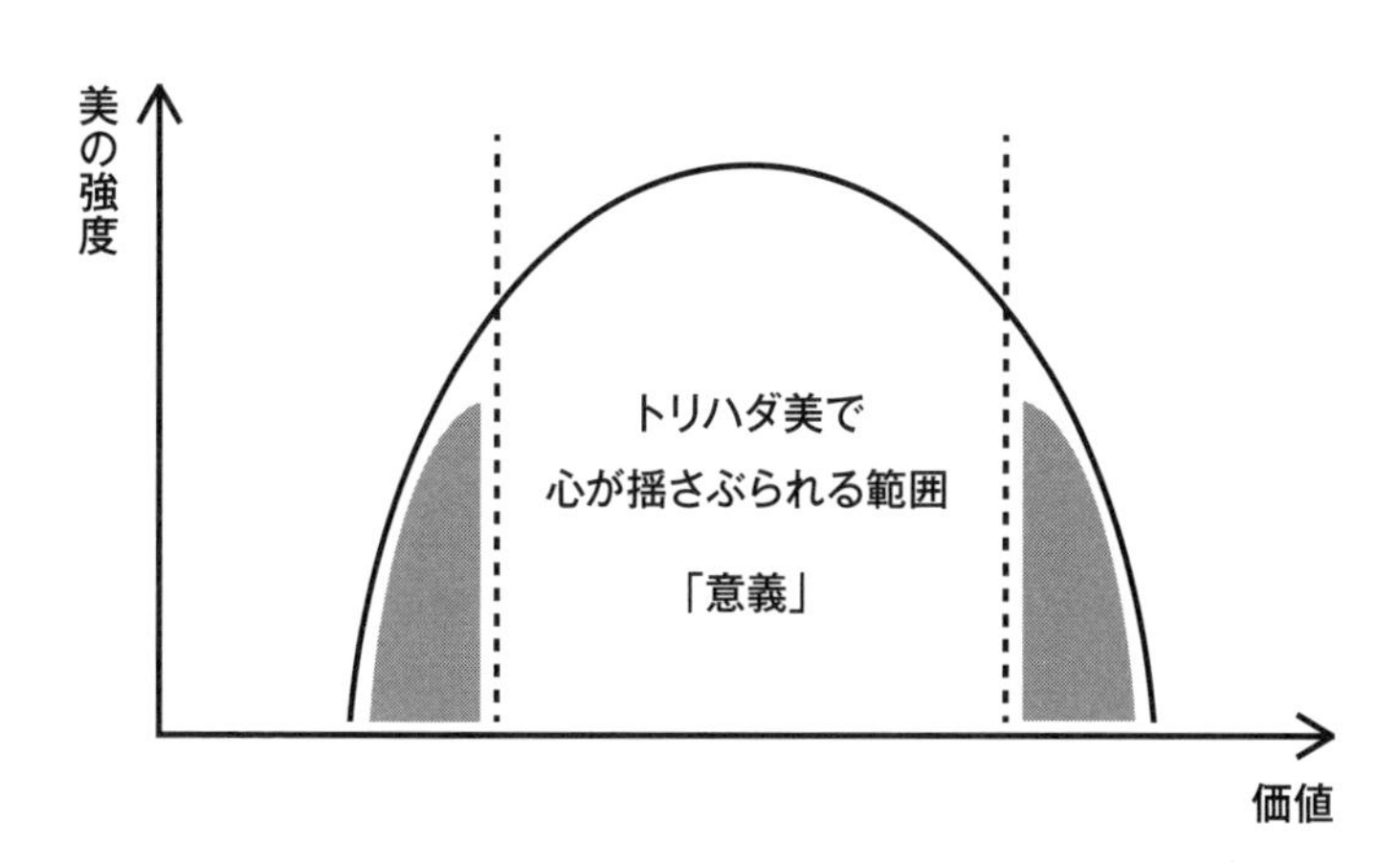

しかし、ニコラ・テスラの没後、1960年代に入ると、彼が提唱していたものと同様の通信ネットワークの考え方が一気に広がります。それが先に述べたネットワーク、ARPANETの誕生です。

ではなぜ、米国政府は1960年代に入りネットワークの研究開発を奨励し、ARPANETの誕生に至ったのでしょうか。それは、1957年、旧ソビエト連邦（ソ連）が初めて人工衛星（スプートニク）の打ち上げに成功したことにより、世界中に衝撃が走ったからです。これは、スプートニクショックと呼ばれています。宇宙開発の分野において、ソ連に後れを取ることを恐れた米国アイゼンハワー大統領は、最先端の科学技術研究を軍事利用する組織ARPAの設立を指示したのです。

そこではコンピューターと通信技術の向上が急務とされましたが、この結果、まだ見ぬ宇宙への憧れを抱き、宇宙がどのように広がっているかを知りたい、宇宙から見た地球を捉えたいというアメリカにおける社会的な合意形成がなされていきました。このような中で、世界を変えたのが、当時の社会的文脈に沿う形で銀河間コンピューター・ネットワークの未来を提示し、コンピューターの歴史上重要な役割を果たしたリックだったのです。

つまり、共同体としてのこれまでの文脈をある程度捉えながら、少し先の不確実な要素をもつのが美のベルカーブの芯に当たる範囲であると言えます。こうして共同体にとって「意義」のあることとみなされたことで、彼の提言は社会に受け入れられたのです。

さらにビジネスの文脈に置き換えると、このようなことが言えます。ベルカーブの芯となるのは事業を立ち上げる「意義」であり、さらにこの芯を捉えることで、トリハダ美により心を揺さぶることができるのです。なお、99ページの図の横軸は価値を表し、トリハダ美で判断する主体となる人にとっての既存の価値との乖離度を表します。提案したアイデアが、これまで提供してきた価値と離れすぎず、なんとか実現できそうなものでありながら、これまでにない新しい価値を提供できている範囲に「意義」を感じることにより、人々の心が揺さぶられるのです。

Point 3 美の芯を捉える感性は、探すものではなく研くものである

ビジネスにおけるトリハダ美のベルカーブの芯は、人々にとって取り組む意義があると感じさせるものであると述べてきました。そうであるとすれば、それに当てはまるアイデアを発想するために、共同体にとってのトリハダ美がどの部分に当たるのかについて調査したくなりますが、そのために周囲に対して「答え」を求めてはいけません。そこがトリハダ美の芯を捉える上での難しい点です。

デザイン思考においては、顧客視点で市場を創造するというコンセプトが、特徴の一つとされます。顧客の観察を起点とし、目の前にいる人のニーズや課題を抽出することにより、顧客の行動の意味を理解するのが可能となり、顧客にとっての有用性を追求できるようになります。そのため、デザイン思考では、顧客の声を捉え共感されるアイデアを具現化しビジネスを創造するなど、創造と共感がセットで展開されてきました。これは、製品やサービスの改善において、非常に有用なアプローチとなります。

一方、これまでにない新しい市場に向けてのアイデアを生みだす場合、顧客の声から何らかの発想をすることは難しいです。例えば、アップルのCEOだったスティーブ・ジョブズは、「T型フォードが登場するまでは、自動車が欲しいかどうかを消費者に尋ねても『いや、もっ

と速い馬が欲しい』としか言わなかった」というヘンリー・フォードの言葉をよく引用し、顧客調査をほとんど行わなかったと言われています。顧客にとって、未知の製品・サービスを想像すること自体が難しいことであり、顧客調査を行い何が欲しいかを顧客に聞いてもきっと答えられないであろうとジョブズは考えていました。

顧客が抱える問題の解決に主眼を置くと、どうしてもニーズを解決することに目が向いてしまいますが、ジョブズは、人間の心に注目することにより、人々は何を楽しみ、何が人生を豊かにするのかについて常に考えていたのです。

では、ジョブズのような思考に、私たちはどうすれば近づくことができるのでしょうか。それは、自分自身の思いやトリハダ美を大切にし、これまでにないアイデアを生みだそうとする姿勢を重視し、まず何かしら始めてみることです。そのためにも、日々生きていく時間の中で、何に心を揺さぶられるのかについて考え、自分自身のトリハダ美を研き続けることが重要です。

その美の感性をもって生みだされたアイデアが人々を一瞬にしてトリコにするのです。ロックスターが、コンサートで観衆に語りかけ、皆がそれに熱狂するような場面を想像してみてください。ビジネスにおいても、それと同じ「カリスマ性」が商品に求められるのです。

つまり、トリハダ美のベルカーブの芯を捉えるため人々からニーズを聞いてからアイデアを考えるのではなく、自分にとってトリハダ美を感じたものを、周囲の人々にとってもトリハダ美を感じられるアイデアとして提示することで、一瞬にしてトリコにすることを目指すべきなのです。

そのためには日々の生活を通して、トリハダ美の感覚を自分自身の中に培っておくことが大事になります。さらにその感覚を必要なタイミングですぐに引き出せるように、感じとった美を言語化しておくのです。なぜその対象を美しいと思ったか、美の所以がどこにあるのかについて、自分自身が感じたことをありのままに言語化することで、自身の記憶の中に収めていきます。

特に、造形のトリハダ美を自分の中に蓄積するためには、このような言語化が極めて重要です。例えば、ガウディ建築で感じた美を、「自然の法則や摂理に立脚した造形であるために美を感じる」といったように、美しいと感じる理由について言語化していきます。このように言語化を行うことで記憶に収めることができ、美しい造形表現の選択肢を広げることができます。さらにその記憶の中にある美の蓄積から相似性を発見することにより、新たな発想につながるのです。

以上を踏まえると、トリハダ美を研ぎ澄ませるには、日々の過ごし方が重要です。今世の中で何が起きているのか、人間が何を楽しみ、何に喜びを感じるのか、今後どのような世界が広がっていくのかなどについて、常日頃から意識しておくのです。このように、自分の中の絶対的な評価基準となるトリハダ美を研き続け、そこで得たものを言語化し記憶に留めておくよう習慣化する。そうすることにより、アイデアを生みだす必要があるときに、自然とトリハダ美を活用してアイデアを活用することができるようになるのです。

Lesson 一 あらゆるアート作品に触れてトリハダ美を研く

実は、日常生活においてあらゆるアートに触れることができます。トリハダ美を研くには、できるだけ多くのアート作品を観ることです。アートには、絵画だけではなく、演劇や俳句、アニメなど、様々なものが存在すると冒頭で述べました。まずそれらの作品から自分自身が興味をもつカテゴリの鑑賞から始め、そこで面白いとされている作品、評価されている作品に着目します。それらについて「なぜその作品が多くの人々を魅了するか」の視点から観察・考察をし、言語化を行うことにより、造形美を含めたトリハダ美を研くことができます。

SNSで「いいね！」が多い写真や動画の理由を考えて言語化する

Instagram、TikTok等のSNSの写真や動画において、いわゆる〝バズっている〟ものに着目してみてください。いいね！の数が多い、コメントの数が多い、視聴回数が多いなど、バズっていることを表す指標がそれぞれのＳＮＳには存在するため、それらの指標を参考にしながら、高い数値の投稿を観察します。なぜ多くの人がそれらに対して反応しているかを考えてみるのです。

もちろん、有名人のアカウントであれば、高い数値になる場合も多いですが、大事なのは写真や動画等から、大きな反応が生まれている作品を観察することです。

似たような写真を検索して、反応が高い写真とそれほどでもないものを比べながら、その違いがなぜ起きているかを分析することで、多くの人がいいと反応する理由を、自分なりに考えるという練習を行います。

その際、それらの理由の言語化に努めてみましょう。写真を例にとると、構図や光の入り方が優れている、彩度や明度の色味が心地いい、などの違いで、反応が大きく変わってくることがわかります。そのような考察と言語化を繰り返し行うことで、どのような構図に人は魅了されるのかが、自然とわかるようになるでしょう。このように自分自身の経験として、言語化した「造形のトリハダ美」の表現パターンを蓄積することをお勧めします。何も机に座って考える必要はありません。ＳＮＳをスクロールしながら気になった投稿を見つけるたびに、なぜだろうと理由を考える習慣をつけ、気が向いたときに考察するといった形でもいいですので、日々続けられる方法を模索してみてください。

テレビや動画の面白いコンテンツについて考察する

今の世の中がどのような文脈で構成され、どのようなものに対して人が美しいと感じるかを理解するために、実際にどうすればいいのか、一緒に考えてみましょう。テレビやスマホで視聴可能な動画コンテンツというジャンルを選び、それらの中から、多くの人々から面白いと言われている作品、評価されている作品を観てみるのです。自分にとって親しみやすいジャンルを選び、それに対する考えを深めてはどうでしょうか。動画コンテンツそのものを一視聴者として純粋に楽しむことはもちろん大事ですが、それとは別に作り手の意図や面白いポイントについて考察する時間もつくります。

例えば、お笑いのジャンルを選んだとしましょう。特にコントや漫才、大喜利などのコンテスト形式のお笑い番組で、審査員がいる番組であると考察しやすいです。好みはそれぞれあるとしても、いわゆるトリハダ美の真ん中にあるコンテンツに関しては、プロをはじめ、多くの人が面白いと感じます。考察する際、コントを審査する番組で審査員のコメントに着目することにより、面白く感じるポイントに何らかの傾向があることがわかります。「お笑いの型」とも表現されていますが、言葉を発するときのコンビ同士の間(ま)や、ボケに対するツッコミの声のトーンや大きさの適切さに、プロの技術が担保されていることが面白いと感じる要素につながっているのです。一方、型にハマりきれいに収まりすぎると視聴者との接着が薄くなり、面白さが半減する面もあります。演出が「きれいに出来すぎている」作品は、面白いという感想よりも上手いという評価が先行するため、どうしても内容の面白さが抜け落ちてしまうのです。さらに「お笑いの型」から逸脱した遊びがあるかどうか、プロですら思いも寄らないような型を破るアイデアが埋め込まれているかも、面白い、素晴らしいと判断されるためのポイントになります。このようにプロの判断に着目することにより、新しい気づきを得ることができます。これは、トリハダ美のベルカーブの芯の話に近いように感じます。

また、ドラマや映画の場合、それを制作した作家や脚本家、登場する俳優の表現方法、その作品を通じて伝えたかったことなどについて思いを巡らせてみるのです。ある場面で、なぜこのような表現を選択したのか、表現の本質はどこにあるのか、なぜこの音楽を選んだのかなど、作り手側の背景に着目して考察を行うのです。その際、独断的な考察ではなく、作り手の立場を想像し、その作品に対して理解しようという姿勢が肝要です。例えば、プロデューサーや脚本家の作品について専門家が語っている記事を読む、プロの批評家が解説している動画を観るなど、第三者の視点も考慮に入れながら理解を深めていきます。そうすることにより、作品に対する理解が一層深まり、何が評価されているポイントなのか、何が面白い表現なのか、今の時代背景の中でどういうメッセージを投げかけているかがわかります。それにより、現代の文脈において、人々が共通して感じる「トリハダ美」の感覚を養うことが可能となるのです。

このように、手の届くアートの領域からでよいので、そこから興味のあるものを選び、その作り手側の意図や背景を捉えるということを楽しんでみてはいかがでしょうか。作り手や批評家の視点を参考にしながら、その領域でいいとみなされている、つまりトリハダ美へと研ぎ澄まされた作品についてしっかりと理解しながら、考察を深めてみてください。

世に評価されているアート作品などを鑑賞し作者の意図に触れる

ここからは少し背伸びをして、世に評価されているアート作品などの考察にチャレンジしてみましょう。アートなどの領域は近づきにくい、興味がないと思っておられる方も、最初の一歩を踏み出してみることで自信が出てきます。美術館で常設展示されているものや、特別展示として期間限定で行われているものを見つけ、観にいくのです。するとその作者の意図に触れることができ、その作品の意味や背景の理解を深めていくことが可能となるのです。

世に評価されているという点で言えば、有名なアーティストであれば誰でもよいと思います。海外のアーティストでは、ゴッホ、セザンヌ、モネなどがそうですし、日本の現代アーティストであれば、村上隆、草間彌生、杉本博司などもお勧めです。

アートなどの作品鑑賞になじみのない方は、一人の作家に焦点を当て、初期の作品から晩年の作品までを取り扱う特別展示に足を運んでみることがお勧めです。その作家がどのような状況で、何を感じてどう作品を制作したのかについて、時代背景と共にキャプションで丁寧に解説されているためです。例えば若い時の作品においては若い時の時代背景が作品として反映されており、晩年の作品には晩年の時代背景が作品として反映されています。また、作家は生まれた場所で生涯つくり続けるというよりも、人生の中で制作する場所をいろいろ移す傾向にあることが窺えます。作家は何かの刺激をきっかけに心の赴くまま別の国にアトリエを構えて、制作するため、作品がつくられたときの国や地域の気候、文化なども理解しながら作品を観ることにより、その作品の意味がだんだんとわかってきます。こうして作家がその作品を通じてどのような思想を伝えたかったのか、世の中にあるどのような価値観を壊したかったのかなどについて考察を進めていくのです。

その繰り返しを通じて、その時代を生きる人々の価値観や共通点が見いだせれば、人々を魅了するトリハダ美も理解できるようになります。そして次の展示を鑑賞するのが楽しみになってきます。繰り返しになりますが、そのためには、まずアートなどの現場に足を運び、リアルなものに触れてみることです。展示に関する情報は、美術館・アート情報を発信するウェブサイトで検索したり、ＳＮＳをフォローしたりすることで自然と得ることができます。例えば、Instagramの「美術手帖」のアカウントは、厳選された情報が高い頻度で発信されており、サイトのリンクを辿って展示イベントを予約することもできるので、ぜひ試してみてください。

アートのスキル3／タンジブル化／Tangibilization

ここまで、人々の心を揺さぶり一瞬にしてトリコにさせるアイデアを発想し、トリハダ美を通じて意思決定を行うための方法をご紹介してきました。次に求められるのは、そのアイデアをどのようにすれば周囲の人々へ伝えることができるのかです。特にイノベーションに相当するアイデアは、周囲の人々にとって今まで体験したことのない全く新しい価値観を提案するようなものです。このような、なかなか受け入れ難い性質のアイデアを理解してもらうためには、それをいかに適切に表現して伝えるかがポイントになります。

物事を伝えるための表現方法としては、インタンジブルな表現である「言語」とタンジブルな表現である「造形」に大まかに分けることができます。前者の「言語」とは、言葉を使った表現方法のことですが、これは一種の記号であり実体がなく、インタンジブルな表現に分類されます。後者の、タンジブルな表現は「造形言語」、または「造形」と呼ばれます。ここでの造形は、絵やオブジェクト、色や形を用いた表現方法を指すもので、手書きのイラストや立体

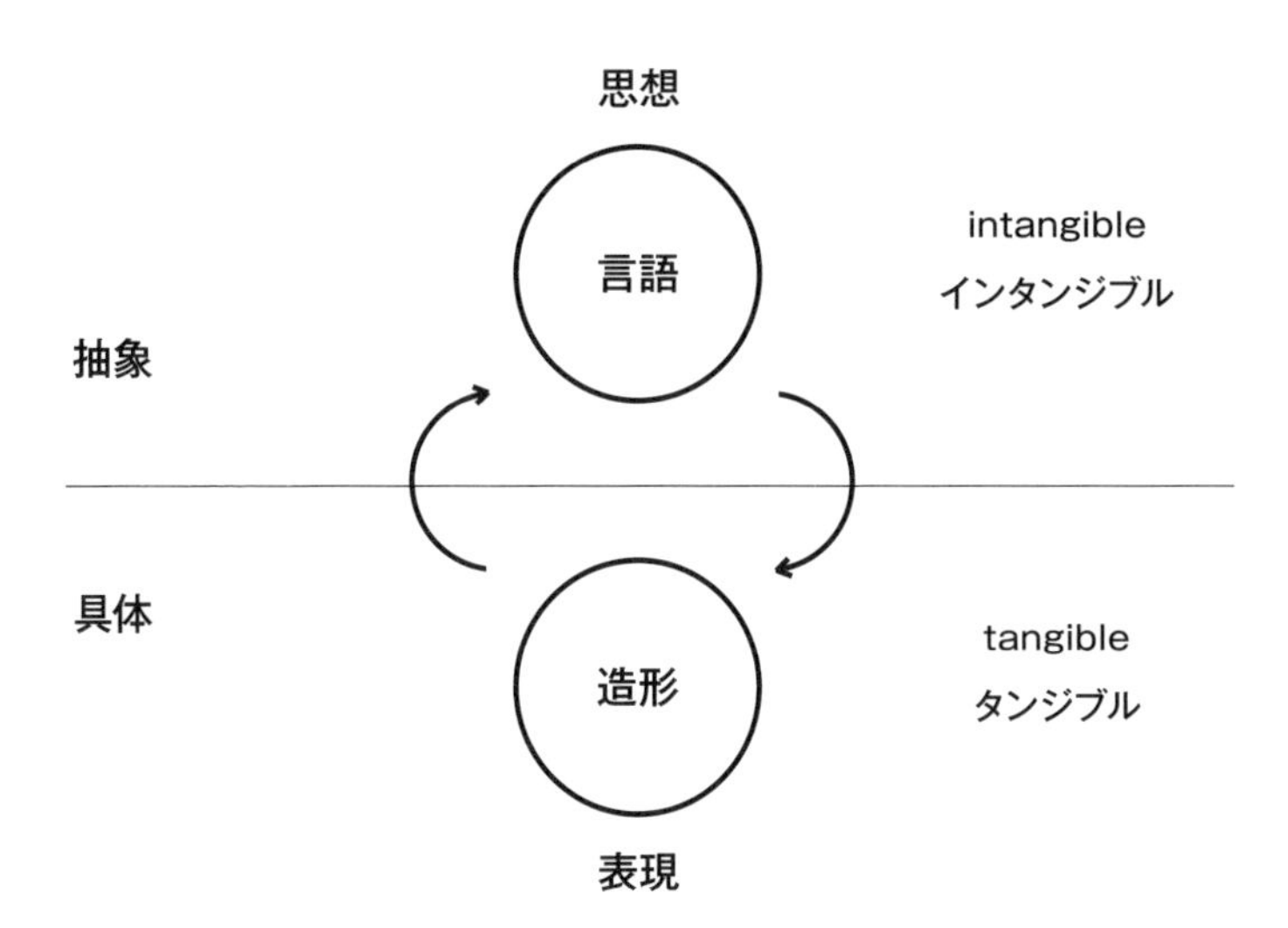

の作品などがイメージしやすいと思います。
　ビジネスの世界においてビジネスパーソンが扱う表現としては、インタンジブルな表現である言語に偏っています。そのような中で、新しい価値観に値するようなアイデアを可能な限り周囲の人に伝わる表現として研き上げるために、言語と造形の両方を駆使することが大事なのです。
　特にアイデアを表現する際に、そのアイデアを物質化したもの、つまりタンジブルな表現がカギとなります。造形といったタンジブルな表現を行う姿勢が、まさにアートの営みそのものであるためです。
　また、脳内にあるアイデアをタンジブルな表現に転換する作業を行うことで、身体的行動も増え、エナジネーションの醸成にもつながっていきます。

このようにエナジネーションでビジネスアイデアを想像した後、トリハダ美で判断し、サービスとして具現化する過程で、人々を一瞬にしてトリコにする表現へと転換させる「タンジブル化」の能力を兼ね備える必要があります。それにより、世の中の人々が一気に魅了され、未来につながる新しい価値が創造されていきます。

ここからは、タンジブル化の3つのポイントを紹介していきましょう。

1. 固定観念となるバイアスを壊し、新しい価値を浸透させる力がある
2. タンジブル化のレベルに比例して、エナジネーションが醸成される
3. アイデアを客観視することにより、トリハダ美の強度があがる

Point 1 ― 固定観念となるバイアスを壊し、新しい価値を浸透させる力がある

インタンジブルな表現手法としての言語は、物事を相手に伝える場合、言葉にすることにより伝わりやすくなるメリットがあるため、ビジネスの世界において多用されてきました。一方、

言葉で伝えることができることには限界もあります。言葉というものは、これまでに存在する事柄や物体を表現するツールとしては適していますが、これまでなかった新しい事象や価値観を表現する際には、完璧なツールではないと私は考えます。

体感型アートスポットを構築しているチームラボの猪子寿之代表は、「人間は本来、もっと身体を通して世界を認識していると思う」とインタビューで語っています。身体で感じることに対する重要性、さらに体感型アートが世界を認識する場となりうるというのです。猪子氏は、フランスの画家ギュスターヴ・カイユボットの絵画作品《パリの通り、雨》（1877）には雨粒が描かれていないことを例に出して、「もしかすると昔は雨粒が見えていなかったかもしれない。江戸中期に浮世絵師が雨を線で描いていましたが、それが〝雨を線で描く〟ことのエポック（転換点）であったかもしれない」と言っています。「アートを通して物事に対する認識が広がり、見えるものが増えたり変わったりしているかもしれない。自分もアートを通してこれまでの認識を変えられればいい」と、アートによって人間の認識を変えたいとする自らの思いを明らかにしています。

さらに猪子氏は、「世界は全部、連続しています。たとえば地球と宇宙も本当は境界がないけれども、〝地球〟と言葉にした瞬間、そこに境界があるかのように感じてしまう。本当は関係しあっている、そういうものを美しいと感じるような境界のない一つの世界を作りたいと思い、この作品を作りました」と、チームラボボーダレスという趣旨の作品について、説明を加えています。〝地球〟という言葉で表現することにより、人間の認識を狭めてしまう危険性が存在するというわけです。

このように、言語というのは、物質が存在した後に人間が付与した概念であるため、どうしても分類的なものとなり、それで作られた印象により、固定観念が作り出されてしまうということが起こりえます。さらに、自分自身が伝えたいと思い使う言葉の意味が、相手が想像している言葉の意味と異なるということも多々あります。そのような状況を脱するためには、言葉ではなく造形の表現も取り扱えることが大切であり、そのためにタンジブル化を行うのです。このようにアイデアのタンジブル化を行うことで、これまで存在しなかった価値を伝えることができるようになるのです。

この理論に近い表現が、メタファー（比喩）です。これは、自分自身が思い描くアイデアを体現する現存物の具体例を見つけ、それをメタファーとして活用する方法となります。メタファーを使うことにより、自分だけでなく伝えたい相手がもつ潜在意識を解き放ち、バイアスを壊すのに役立つのです。メタファーの真髄はイメージにあるため、言葉だけでは認識がずれてしまう恐れがある状況においても、メタファーにより相手の脳内に具体的な物がイメージされ、お互いの理解が進むようになります。また、自分自身が思い描くアイデアを別の物にたとえることにより、言語化できなかった部分も言語化できるようになります。それにより物事に対する見立てが変わり、バイアスから逃れることができ、新しい気づきを得ることができるのです。

以上の理由から、新しい価値に値するアイデアを他者に伝える際には、造形を用いたタンジブルな表現が重要なのです。

Point 2 ｜タンジブル化のレベルに比例して、エナジネーションが醸成される

ビジネスにおいては、具体物から抽象化する、つまりタンジブルからインタンジブルへの転換が日常的に行われています。例えば、市場分析を行う際に、業界で発生している具体的な事象や他社がローンチしたサービスを通して、「業界の動向は、○○のトレンドがある」といった傾向を抽出するといった思考です。このように、タンジブルからインタンジブルの表現へ転換する思考については、皆さんも日常的なものとして、すでに身についているはずです。

一方、インタンジブルからタンジブルへの転換となると、これまでビジネスの世界にいた方々にとっては、急に難易度が高いものとなります。生みだしたアイデアを言葉でうまく表現したとしても、「具体的な製品はどういう姿のものになるのですか？」という問いに対してうまく答えられないといった状況がそれに該当します。

私が「美しい椅子」のアートワークに挑戦した経験からも、タンジブル化する行為は想像以上に難しいものでした。「脳内に思い描いているものを形にすればいい」と頭では理解していても意外と手が動かないのです。タンジブル化する際に、何から始めればよいのかわからない、後戻りするのが嫌なのでしっかり工程を理解した上で作業に着手したい、作り慣れていない作業なので、出来上がったモノを見せるのが恥ずかしいなど、様々な感情が頭をよぎり、作業の途中で幾度となく手が止まってしまいました。これは経験を積んだ大人の宿命なのです。なお、モノを作る手を止めてしまう一番の要因は、アイデアを自身でタンジブル化して表現できたとしても、それが美しいと感じられないことにより心が傷ついていくということでした。自分の思い描いたアイデアに自信があっても、眼に見える形にしてみると、突如魅力的なものとして感じなくなり、アイデアもしくは自分自身を否定せざるをえない状況から目を背けたくなるためです。

ではインタンジブルの世界で生きてきたビジネスパーソンは、どのようにしてタンジブル化のスキルを身につけていけばいいのでしょうか。これについては大きく2つの観点で説明していきます。

まずは、タンジブル化のレベル（以下、タンジブルレベル）を徐々に上げていくことです。ここでのタンジブルレベルは、インタンジブルな表現である「創造したい世界」をレベル1とし、目指すべきタンジブルな表現「原寸大での造形表現」をレベル6と仮定し、他のレベルについても便宜上分けています。各レベルの概要を紹介するにあたり、ビジネスの世界や一般的に使われている言葉に置き換えることで説明を行っていきます。

レベル1：創造したい世界――新しい社会的イメージを想像したものであり、自分自身が創造したいと思う未来のこと。事業のビジョンや事業構想に値するもの。

レベル2：思想コンセプト〈アイデア〉――創造したい世界を実現するためのアイデアそのもののこと。または、それをコンセプトレベルまで言語化させたもの。

レベル3：造形コンセプト〈アイデア〉――アイデアをタンジブル化したときにどのような造形をしているのか、造形表現を言語化して表したもの。設計書などに値するもの。

レベル4：アイデアの造形の図案――アイデアの造形表現を平面上に図示したもののこと。ラフスケッチ、設計図面などに値するもの。

レベル5：テスト版での造形表現――アイデアを眼に見える事物に転換し、テストサイズに表現したもの。ＰｏＣ（Proof of Concept：概念実証）、ＰｏＶ（Proof of Value：価値実証）、プロトタイプ、試作機などに値するもの。

レベル6：原寸大での造形表現――アイデアを眼に見える事物に転換し、原寸大で表現したも

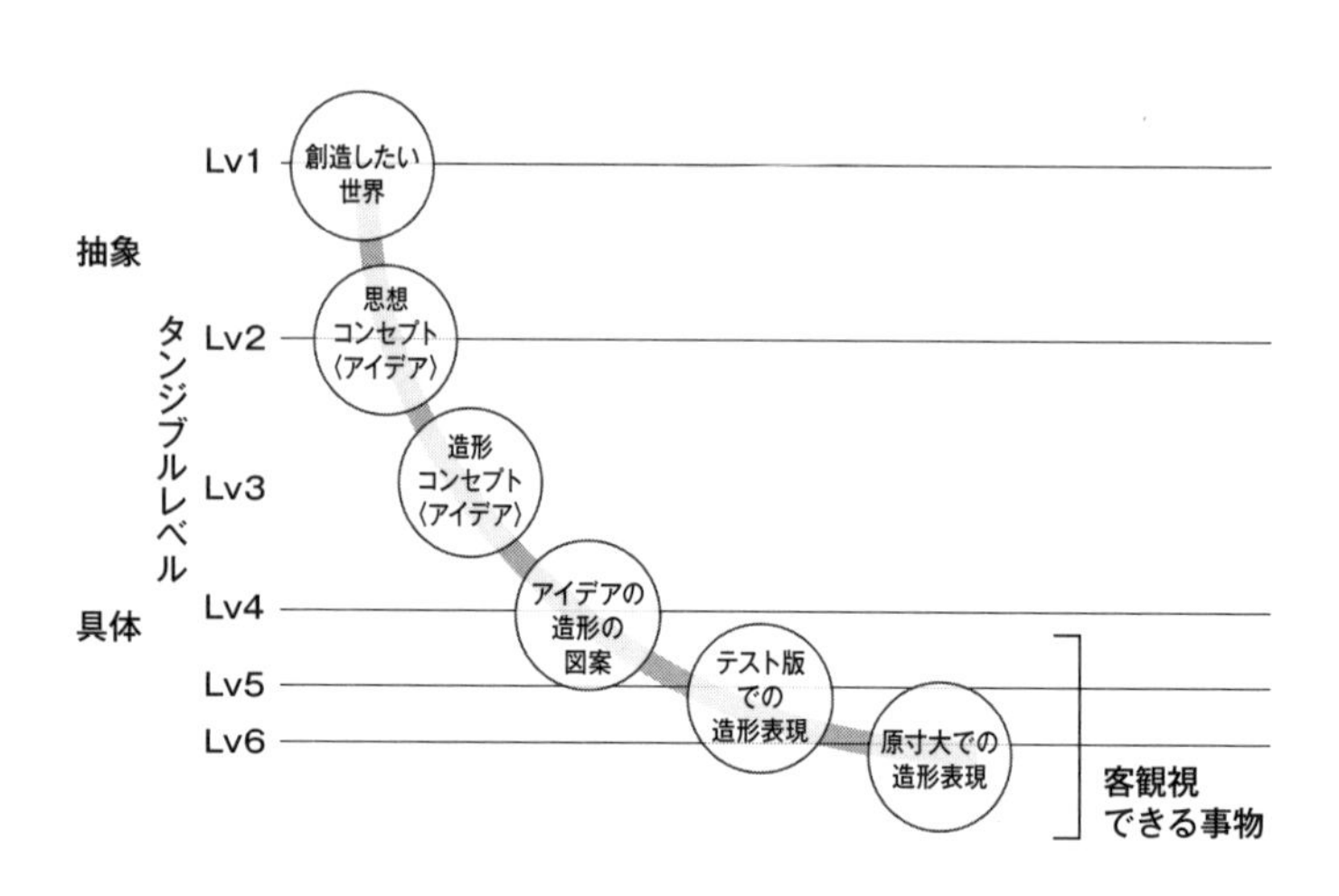

の。製品、サービスなどに値するもの。

最終的には、アイデアそのものをタンジブル化させ、実際に利用可能なサービスとすること、つまりレベル６「原寸大での造形表現」にすることがゴールとなります。しかしながら、最初からそこに到達することは難しいため、徐々にタンジブルレベルを上げることにより、達成を目指します。例えば、いわゆるラフスケッチのようなレベル４「アイデアの造形の図案」など、手を動かしてみることからスタートして構いません。まずはアイデアを白い紙に簡単な絵を描いて表現してみるのです。自分自身が着手できるレベルから気軽に始めるのがポイントです。

次に、制約をコントロールすることにより

タンジブル化を進めていきます。ここでの制約とは、既存の枠組みやコンセプトのようなタンジブル化を前提とする条件のことです。このように制約がなく自由な状態であればあるほどタンジブル化の難易度が上がっていきます。そのため、徐々に制約を増やして、一定の制約を設けた上でタンジブル化に挑戦する必要があるのです。

先のコラムで紹介した「美しいアヒル」の制作ですが、社会人の美大生にとってはほどよく難しいと感じられた課題でした。この課題の制約としては、インタビューに記載されたテクスチュアのルールに従うこと、「美しい」と感じられるものであることの二点ありました。例えば、この課題で制約を増やすということは、素材として紙を使うこと、足は2本で目は2つであること、などのルールが追加されることを意味します。その場合、具体的な造形が頭に思い浮かびやすくなるため、作り手としてはタンジブル化がより容易となります。

このようにして、自分自身にとって心地のよい制約を課しながら、徐々にタンジブルレベルを上げることで、アイデアを具現化していきます。もちろん、それを実現するための選択肢として何が存在するかを学び、技術を習得することも大事です。しかしながら、そのためには、自身の手によって作りだしたものから目を背けたくなる気持ちに打ち勝つことと、美しいものを形づくるまで諦めずに考え、行動し続けることが重要となります。

最終的には、レベル5や6の状態であるアイデアを物質化した状態にすることを目指していくのです。また、この物質化という工程は、自分自身の創造性を高めるという大きなメリットがあります。それは制作の過程において、身体的活動が伴うことで、触覚を通じて物の見方を捉えることが可能となり、エナジネーションを高める効果が望めるためです。

ちなみにデザイン思考が話題になった際に注目を浴びたプロトタイピングは、レベル5「テスト版での造形表現」に値するタンジブル化の手法の一つとされ、プロトタイプと呼ばれる実際に動くモデルを制作することにより、ユーザーや周りの人々からフィードバックを受けることが可能となり、早いタイミングで改善することができます。

美大入学後にあらゆる制作の体験を重ねるうちに、プロトタイピングの手法が、実は周りの人々からフィードバックを受けて改善する以外の意味も持ち合わせていることに気づきました。プロトタイプを作るという身体的活動により、自分自身の創造性が醸成されていったのです。このように新たな工夫の余地を見つけ、アイデアの不具合を発見することを通して、それを解決するためのアイデアを発想することができただけでなく、アイデアをよりよいものにしたいという内発的な動機が醸成されていったのです。

つまり、タンジブル化を行うという意味は、単にアイデアを具現化させるだけでなく、作り手自身の創造性を高めることにつながっているのです。手足を動かし身体的活動を伴う過程をこなすことで、心を揺さぶられるトリハダ美が見つかる。そして、そのような新たな発見の連続を経て、エナジネーションを高めることにつながっていきます。

Point 3 アイデアを客観視することにより、トリハダ美の強度があがる

タンジブルな表現とインタンジブルな表現、つまり「造形」と「言語」による表現を行き来することで、自分自身が伝えたい思いやアイデアを研いでいきます。アイデアをタンジブル化させることで、心揺さぶるトリハダ美の強度はあがり、発想したアイデアを再度構想し直すことにもつながります。それらを踏まえて、タンジブルな表現を再修正することにより、造形のトリハダ美もあがるようになります。そこから得た気づきを基にアイデアを再修正する、という流れを繰り返すことで、トリハダ美が洗練されていくのです。

私にとっては、「美しい椅子」の制作に取り組んだことがタンジブル化において大きな経験となりました。また実際の体験を通して言語と造形を行き来することにより、トリハダ美が研ぎ澄まされていくメカニズムが明確になりましたので、この過程をご紹介いたします。

驚くべきことに、椅子の制作過程において、作品である椅子が、ある日、「私に問いかけてきた」のです。「これはあなたが作りたかったものですか」「美が備わっていますか」と。すると、その問いに対する答えが自然と自分自身の中から湧いてきました。それから「このままで

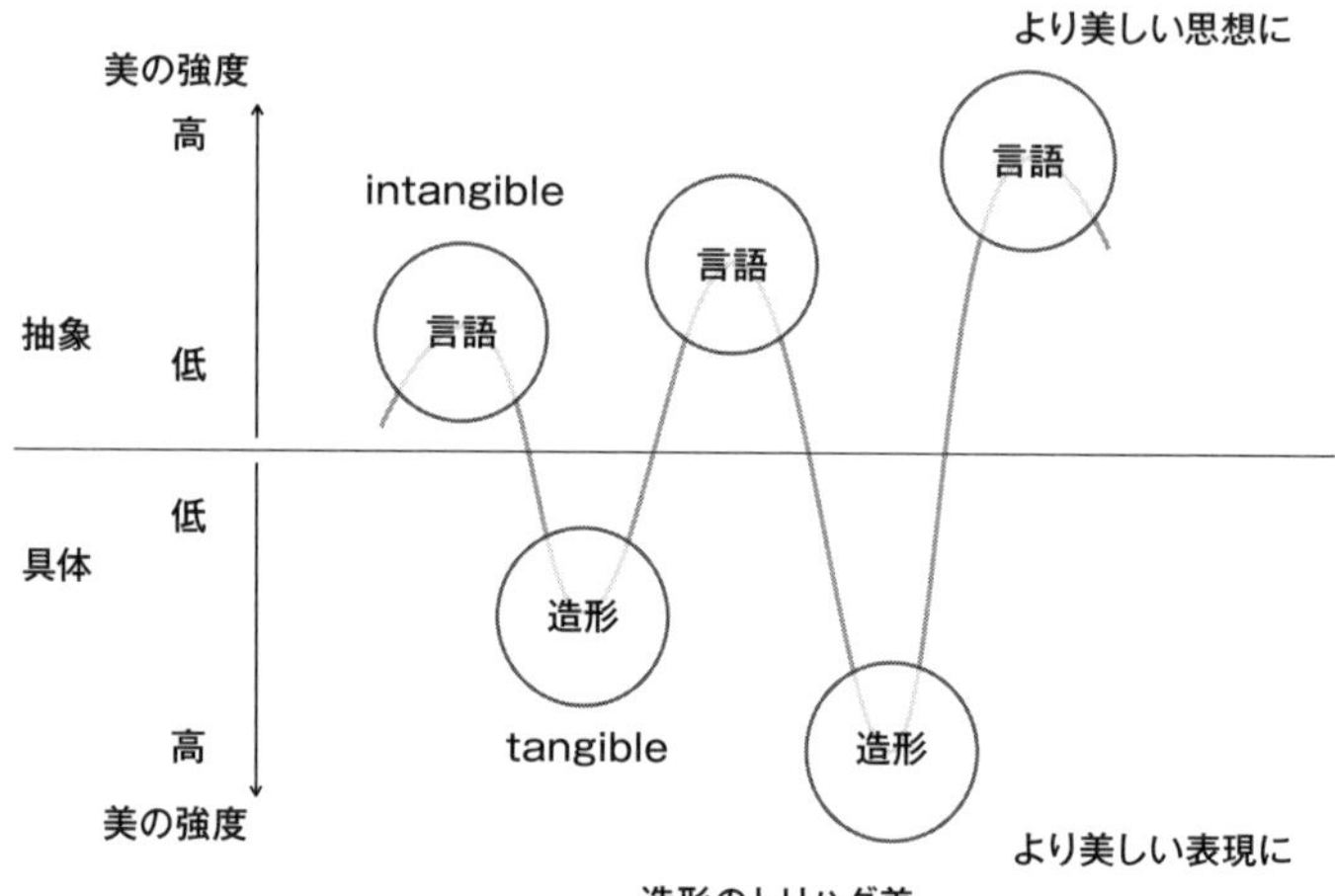

は人々をトリコにすることはできない」「そもそもアイデアがトリハダ美のベルカーブの芯を捉えられていない」と、制作物との対話が自然と発生したのです。

つまり、アイデアをタンジブルな表現として転換させ、眼に見える物として存在させることにより制作物との対話が可能となったのです。これは自分自身の脳内で想像しているものを「客観視」できるようになったとも言えます。

アイデアを客観視する効果は3つあります。まず、椅子の制作における出来事同様、自分自身のアイデアに潜むバイアスから逃れることができるということです。発想時にはよいアイデアであると思い込んでいたものであったとしても、実際には改善の余地があることも多く存在します。一つのアイデアに固執するとよいアイデアが導かれることはまずありません。そこでタンジブル化を行った上で自分のアイデアと対話することで、それまでの経験や固定観念からくるバイアスに引きずられていたことに気づきます。そのことがアイデアのトリハダ美の強度をあげることにつながるのです。

もう一つのメリットとしては、タンジブル化させた事物（作品）を目の前に置き議論の中心に据えることで、専門家など第三者との対話を行いやすくなるということです。

タンジブル化されたアイデアを見た人は、その人なりの言葉を活用することにより、アイデアの新しい価値を言語化して理解を深めようとするでしょう。自分では理解したと感じられる内容を第三者に言葉で説明してもらうことで、作り手側との認識の齟齬を確認できるようになるため、双方の対話が深まることにつながります。それにより、作り手が思い描くアイデアが正しくタンジブルな表現に転換されているかどうか、これで美を感じることができるかなど、相手から客観的なフィードバックを受けることができるようになります。他者から指摘を受けてその言葉通りに修正するのではなく、他者からの問いかけを通じて、自分自身に対して問いかけ直すことで気づきを得ていくことが大事であり、その結果、さらにアイデアのトリハダ美の強度をあげることができるようになるのです。

さらには、タンジブル化したものを他者との対話の中心に据えることで、アイデアがより活

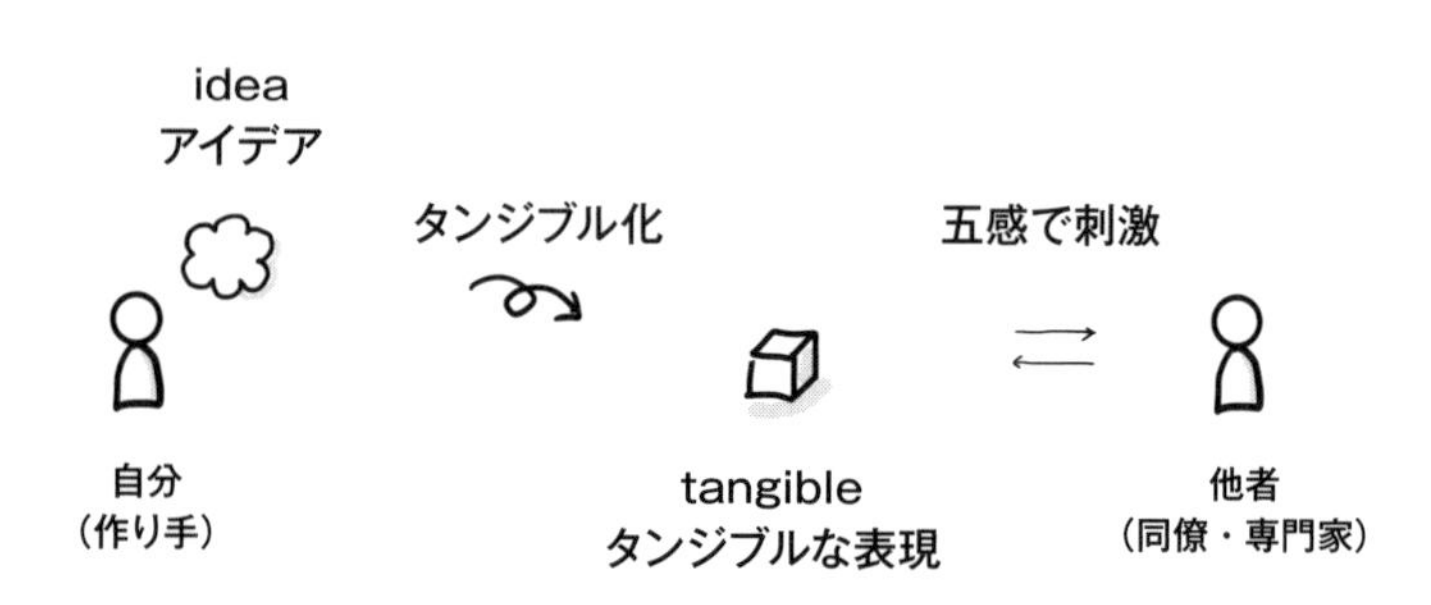

アイデアが「客観視」できる
自分自身・他者との対話が促される

かされ、新たなアイデアが出てくる効用も期待できます。例えば、制作した「美しい椅子」をある場所に置いたとします。そうすることにより、その「美しい椅子」がより際立つようなテーブルや、椅子の存在がより活きるリビングにするために求められる新たなインテリアの発想が生まれてくるようになるのです。あたかも波紋が広がるように、タンジブル化されたものを中心としてそれをより美しくするための世界が広がっていきます。この効果により、自分自身にとってもともと創りたかった世界が多くの人との対話を通してより創造しやすいものへ変わることにより、大きな変革へとつながる可能性も出てくるのです。

このように、インタンジブルからタンジブ

ルへと転換する力、タンジブル化させるスキルを備えるということは、単にアイデアを具現化させて美しい造形物を創りだすという意味だけにとどまりません。頭の中に思い描いたものを客観視できるようになることにより、それらを通じて自分自身や他者との対話が可能になり、トリハダ美も洗練されていきます。それにより、自分自身にとって創造したい世界やアイデアをよりよいものに変えていくことができるのです。逆に言えば、言語と造形の表現を行き来することでしか、人々の心を揺さぶるトリハダ美を備えたアイデアを構想することはできないということになります。

つまり、抽象的なインタンジブルな表現の思考を続けていても、優れたアイデア、トリハダ美が備わったアイデアには辿り着くことはできないということです。タンジブルな表現として、アイデアを客観視する過程を経ない限り、トリハダ美を備えることは難しいのです。タンジブルな表現と、インタンジブルな世界との往復回数を増やし、そのスピードを上げていくことで、自分自身が思い描く創造したい世界が確かな表現として研き上げ、その結果、美の強度が高まりトリハダ美の域に到達することができるのです。

Lesson 言葉を造形の表現に変える練習をする

タンジブル化すること、つまり造形の表現となると、非常に難しいスキルであると感じる方がおられるかもしれません。確かに、これまでビジネスの世界において主な表現手段であった言葉の世界から離れて、造形の表現に挑戦することに対して、ハードルを感じる人もいらっしゃるでしょう。しかし、挑戦しなければ何も変わりません。まずは、見たものをそのまま描写するラフスケッチから始め、伝えたい言葉を造形としてどのように表現するか、つまりビジュアル的に表現するということは、どのような見せ方になるのかについて考えてみましょう。

ラフスケッチを行う

最初は鉛筆と白い紙があればよいでしょう。机の上に被写体を置いて、それを眺めながら鉛筆で描写していきます。何も上手に描こうとする必要はありません。美大の授業でも鉛筆の持ち方は教わりましたが、技術に関する説明は全くありませんでした。ただし、被写体をよく観察して描くことを心掛けます。

鉛筆は黒色で、紙は白地のため、白黒の明度だけで表現する必要があります。そのため、被写体を眺めたときに、色味を一度忘れる必要があります。白黒にした場合に、どこが明るくてどこが暗いかをよく観察して表現します。その際、見た目をなぞるのではなく、被写体の素材や温度、硬さなどを想像し、実際に触れてみた感覚を表現として取り込みます。その物体の本質に迫りながら表現することに努めることで、描く楽しさが増していきます。

慣れてきたら、被写体を見ずに、頭の中にある想像上の物体を描くことも行ってみましょう。この物体であればこう描けばいいという自分なりのストックを増やしていきます。

寄藤文平氏著の『ラクガキ・マスター 描くことが楽しくなる絵のキホン』は、初心者にとって、描き方の知識を学べるため、お勧めの内容です。線一本の引き方から丁寧に解説されていますが、何よりこのタイトルのように、楽しいと思いながら絵を描くことが大事な点となります。

テンプレートを真似る

手書き、PowerPointなど、どのような方法でもいいので、伝えたい言葉を造形として表現することを始めてみます。描く内容も、記号、オブジェクト、ざっくりした絵等でも構わないので、造形での表現を心掛けます。

例えば、自分自身にとって伝えたい内容が3点あるとします。それらを表現する場合、どのような表現を使って見せれば読者に一番伝わりやすいかを考えるのです。3点を縦に並べるのか、三角形を使ってそれぞれの頂点として描くのか、3点のうちどれを上に持ってくるのか等を考えることにより、伝えたいポイントがどこにあるのか、どれが重要なのかがはっきりします。

その際、お勧めの方法があります。それは、自分の中で参考にしたいと思うテンプレートをウェブから見つけてきて、それらを真似て描くのです。学ぶには真似ることが上達するための一番の近道となります。

ちなみに私は、そのためのツールとしてAdobeやPinterestを使っています。Adobe社は「誰でもクリエイティブ」になれることを社のビジョンとして掲げ、デザイナーではない方であってもチャレンジできるサポートツールを同社のサイトで多く提供しています。Adobe Stockには、1億点以上の写真やオブジェクト、テンプレートが用意されていますし、Pinterestは写真共有サービスに特化したサイトで、紙面のデザインだけでなく、ファッションや家の収納の風景など、あらゆる写真を閲覧することができるというのが特徴です。

どちらのアプリケーションでもよいので、検索窓に〝3点〟〝レイアウト〟などと打ち込み、よいと思うテンプレートをお気に入りとして保存し、テンプレートをダウンロードしていきます。PowerPointなどのアプリケーションを開き、ダウンロードしたテンプレートを白紙の上に重ねて、それらをなぞるように文字やオブジェクトを配置していくのです。こうすることにより配置を通してどのような見せ方が最も読み手に伝わりやすいのかを、習得することができます。そうすることで、表現のレパートリーも広がり、より自分自身が伝えたいことに近い表現を見つける力が養われていきます。

Column ―「美しい椅子」のアートワークの軌跡を語る

会場内のランウェイに並べられた名作の椅子が……。これが美大の入学式で私の記憶に残った光景です。名だたるデザイナーやアーティスト、建築家が最初に造形の動機として駆られるものが、実は椅子であると授業で知ったこともあり、自分自身の手で「美しい椅子」を制作してみたいと思ったのです。ここでは、ビジネスの世界において、インタンジブルな世界に浸っていた私が、タンジブルなモノづくりに本格的に挑戦した「美しい椅子」のアートワークの軌跡をご紹介します。

タンジブル化が進まない日々を過ごす

木で制作された家具や建築物が昔から好きだったこともあり、制作するための素材としては木材を選択しました。制作には、一定の知識と技能が必要であるため、木工技能を習得することができる工房に通い始めたのです。1年間の訓練を経て、椅子の制作をスタートさせましたが、初心者のため、スツールからのスタートという制約がありました。ちなみにスツールとは、肘掛けや背もたれがない座面と脚のみで構成された椅子のことで、椅子の基礎を学ぶ上でふさわしい題材です。

美しい椅子を作ること、椅子の本質を理解することを目的として、制作に取り組み始めましたが、直面したのが、物事をタンジブル化させるために必要な自分自身の能力の欠如でした。このように目的ははっきりしていても、コンセプトを定めて、それを体現する造形をどのように表現するかを明確にすることができなかったのです。

椅子のデザインや造形コンセプトがなかなか思いつかず、とりあえず椅子のラフスケッチを行い、その造形である必要性や意味を言語化することの往来を繰り返しました。そして、三本脚で半円の座面のスツールにするとひとまず決めたのです。ここではサラッと表現していますが、実際には普段ビジネスでは使わない脳の部位を働かし、何日も悩みを重ねて、タンジブル化が徐々に進んでいったというのが実情でした。〈タンジブル化 Point 2〉

椅子のプロトタイプから語りかけられる

三本脚で半円座面のスツールとすることに決めた後、自分自身が思い描く形を設計図面に描

（筆者撮影）

© Emi Asayama

き落とす工程に入っていきました。その後設計図面通りに、5分の1のスケールでプロトタイプを作りました。

プロトタイプは木材の中でも柔らかいバルサ材を用いることで、カッターやドリル、ヤスリなどで簡易に作ることができます。作り上げたものは上の写真の通りです。しかし、これを眺めていたらあることに気がついたのです。「美しい椅子とは言えない。特に半円の座面がどこか野暮ったい」と、自分自身で作ったプロトタイプから痛いフィードバックを突きつけられたのです。そのため、コンセプトも含めて一度考え直すことになりました。

周りの人から講評を受けての気づきも多くありますが、自分の手で作りだしたものから受けるフィードバックのほうが、一層心に残り、内発的動機がさらに掻き立てられたのです。このようにアイデアをタンジブル化して客観視することの効果を思い知ります。〈タンジブル化Point 3〉

写真：シューメーカーチェア

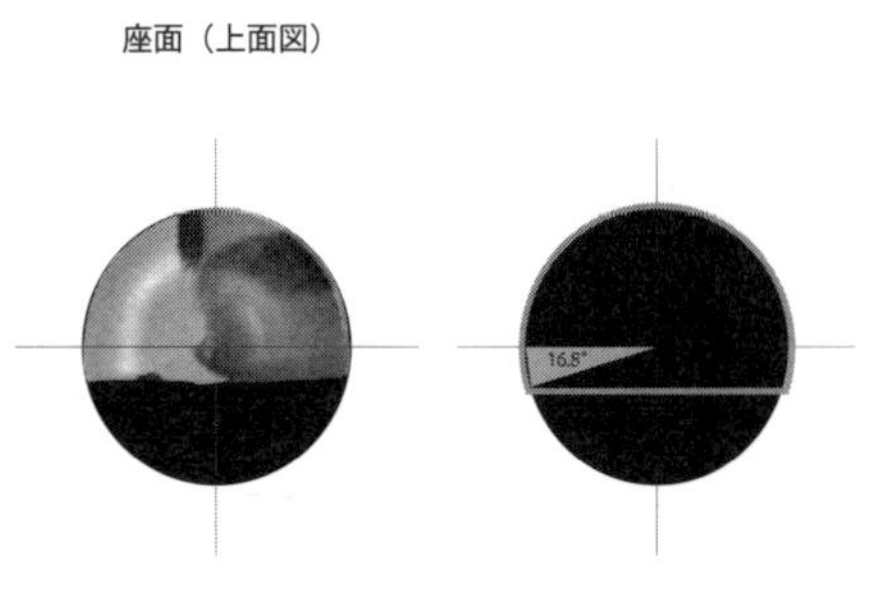

© Emi Asayama

足でかせいだ検証を通してエナジネーションは高まる

「美しい椅子」を再度追求すべく、自分自身に不足している「造形の表現」の知識を補うために、再度情報のインプットを行いました。デザイナーなどによって過去に制作された三本脚の椅子、特にスツールの作品を可能な限り多く閲覧したのです。古い作品から近年制作された作品までくまなく研究しました。その中から、長年多くの人に愛されてきたシューメーカーチェアに着目したのです。現物に触れることができる場所で、座面の大きさや厚さ、高さなど可能な限りすべてのサイズを計測し、写真に収めました。〈エナジネーションPoint 2〉

そして、シューメーカーチェアを撮影した写真をイラストレーターに取り込み、自分自身の設計図面の上に重ねてみたところ、異なる点を発見することができたのです。特に座面の形が違っており、シューメーカーチェアの座面は、実は半円でないことに気づきました。半円よりも両側に約16度ずつ円弧が延長され、その先を直線で結んだ形になっていたのです。〈トリハダ美 Point 2〉

また、ウェブサイトでサイズを確認するのではなく、現地に足を運ぶという身体的活動によって新しい気づきを得られたことで、より一層内発的動機づけがなされたという感覚を持つことができました。〈エナジネーション Point 1〉

造形のトリハダ美に初めて触れる

プロトタイプと向き合った際に、半円の座面が美しくないと感じた理由はここにあったのです。実は半円よりも円弧を延長させた円のほうが、造形のトリハダ美をビビッと感じさせるものでした。つまり四角や三角、正円、半円のように数学的に整った形であるとみなされているものを、美しいと思い込んでいた自分自身のバイアスに気づかされたのです。〈エナジネーション Point 3〉

「円弧の続きが想像されることにより、半円よりも面が広く感じられて、それが安心感や美しさへとつながる」と、ある教授に教えてもらいました。半円の場合は、きれいに収まっているように見えて、円におけるこの先の形の想像がしにくいのです。その一方で、半円の円弧を延長させた形は、この先も円を想像することができ、半円よりも座面を大きく捉えられることにより安心感が生まれる。すると美しいと感じられるのです、と教えていただきました。これは概念的ではありますが、何らかの連続性が見つかることにより未来を想像することができる。つまり、未来がより鮮やかに見える状態であれば、物事をより美しいと感じることができるということです。

このように、造形のトリハダ美の言語化を教授にサポートしていただいたおかげで、造形表現が自身の引き出しの中に一つ増えました。〈トリハダ美 Point 3〉

見立てを変えることにより造形のトリハダ美を発想する

シューメーカーチェアなどの名作椅子を測量し、科学的な検証によるインプットを行ったことで自分自身の発想がクリアになりました。しかし、この科学的な検証を行った上で、さらに新たな見立てを発見しない限り、トリハダ美により他者の心を揺さぶるものを生みだすことはできません。そこで、半円の円弧を延長させた形が美しい、という気づきを得て、自分自身の考えを一層練り直すことができたのです。

「半円の円弧を延長させた形が美しく見える」と先述しましたが、それからその美を備えた新しい形がないかを考え始め、さらに、蛇の骨格の造形美に魅了されたガウディが建物のデザインに取り込んだ造形が美しかったことを思い出し、生物の造形美を反映させるとどうなるだろ

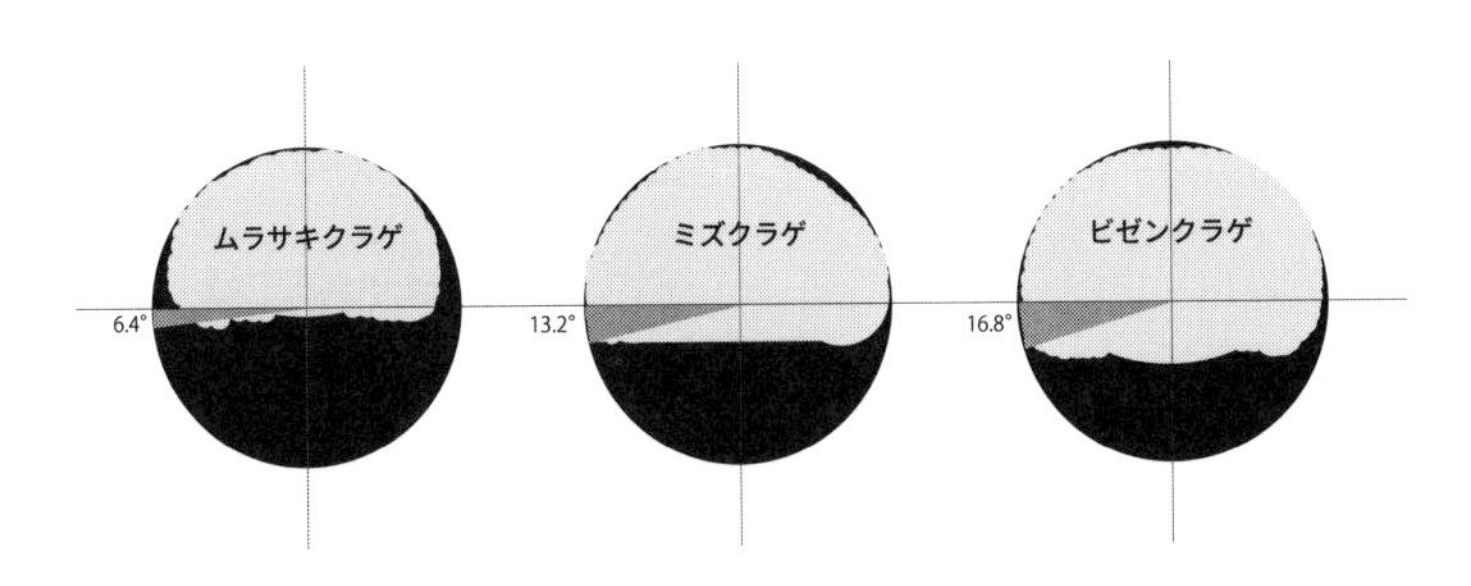

© Emi Asayama

うか、と考えをめぐらせたのです。〈トリハダ美 Point 3〉

「半円に近い形をしている生物がこの世に存在しないものか」と、生物の形をいろいろとイメージしていると、あるときクラゲ（海月）の造形美がふと降りてきたのです。いてもたってもいられず美しさを感じるクラゲの傘（部位）を模倣して座面のデザインに活かそうと動き出し、海月スツールという新たな発想に至ったのです。〈エナジネーション Point 3〉

まず、クラゲ図鑑を広げて、いろいろなクラゲの種類を観察し始めました。その傘の形は、半円の円弧を延長させた形に極めて近いものの、正円の弧ではないことがわかります。無機的な曲線とされる正円のようなきれいな曲線とは違って、有機的な曲線とされるクラゲの傘の形のほうが、より造形のトリハダ美を感じることができるのです。この中から、ビゼンクラゲの形を模倣することにしました。

その後、座面のデザインへと切り替えて、設計図面をそのままイラストレーターで作り直しました。その図面通りにプロトタイプを作ってみると、クラゲの傘の形を模った座面のほうが、トリハダ美を感じるということがはっきりわかったのです。〈トリハダ美 Point 2〉

タンジブルな表現を通して作者の思いが滲みでる

こうした試行錯誤を重ねることにより、徐々にですが、「美しい椅子」の形に近づいていきました。その際、座面だけでなく、脚の設計過程、原寸大での制作においても、幾度となくエナジネーション、トリハダ美、タンジブル化のスキルを活用する場面がありました。このように習得した木工技能を活用することにより、木工加工において原寸大での椅子を仕上げていく過程でも多くの気づきを得ることができましたが、本書では割愛します。

最終形の椅子の姿は、次のページの写真のようになりましたが、いかがでしょうか。

当初、「クラゲ」という発想がふと降りてきた際、「クラゲを模した椅子を作ろうと思う」と周囲に伝えても全く響きませんが、そのアイデアをタンジブルな表現としての椅子の形に仕上げたことで、一瞬にして見た人の心を動かすことができたのです。眼に見える、触ることのできる形として存在させることがいかに大事かをこの椅子が教えてくれました。〈タンジブル化

撮影：朝山絵美　© Emi Asayama

Point 1〉

　これこそが、作り手の思いを作品に乗せ、それを見た人々を魅了させるアーティストの営みを自分自身の感触として摑めた瞬間でした。タンジブルな表現の効用としてお伝えしましたが、制作した作品自身の存在が、メッセージを発します。作り手にその作品がどれほど愛されたかをその作品自体が伝えてくれるのです。まさにこれはアートそのものではないでしょうか。この椅子に私の思いが滲み出ていることを感じていただければ嬉しく思います。〈エナジネーション Point 1〉

まとめ

ここまでアートの3つのスキルとして、エナジネーション、トリハダ美、タンジブル化についての特徴を説明してきました。それぞれのスキルのポイントをまとめると次の通りとなります。

エナジネーション

1. 身体的行動により内発的に動機が生まれ、創造性が高まる
2. サイエンスの検証を積み重ねることにより発想する
3. 物事の見立てを変えることにより、経験則に引きずられたバイアスを外す

トリハダ美

1. 美の感性をもって意思決定する姿勢を互いに受け入れる
2. 美のベルカーブの芯である「造形美」「意義」を捉える
3. 美の芯を捉える感性は、探すのではなく研くものである

タンジブル化

1. 固定観念となるバイアスを壊し、新しい価値を浸透させる力がある
2. タンジブル化のレベルに比例して、エナジネーションが醸成される
3. アイデアを客観視することにより、トリハダ美の強度があがる

これらの3つのスキルは複合的に絡み合っています。一つでも欠けると、アートの営みである「人間がそれまで生きてきた文脈の中で培った美により、創りたい世界を脳内に想像し、それを共同体に伝わるように物質化すること」を体得できません。

エナジネーションの源である内発的な動機は、タンジブル化に向けた身体的行動が一つのきっかけとなります。

また、インタンジブルな世界で思考するだけでなく、タンジブル化させることがアイデアのトリハダ美を見出すための近道となります。タンジブル化させることは、自分自身の脳内にあるアイデアを客観視することと同じ意味です。それにより「見立てを変える」といった発想を転換させることにより創造力が高まり、トリハダ美を感じる域に到達することができるようになります。このように、複合的に絡み合ったスキルを、バランスよく習得してビジネスの世界において上手に活用していくことが重要となります。

本章では、これまで暗黙知とみなされてきたアートの営みのメカニズムを明らかにすることにより、可能な限り形式知化させてきました。次章では、それらのアートのスキルを習得する場であるＭＦＡの概要といかにしてアートのスキルをビジネスに適用しイノベーションを創出するかについて、具体的な方法論を紹介していきます。

第4章 MFA（芸術修士）

芸術で世界を平和にはできないが、芸術には世界を変える人間に働きかける力がある。

——フランスの実業家 フランソワ・ピノー

MFAとは何か

MFAとは、芸術修士のことで、美術大学を中心にこの課程が設置されており、一部の総合系の大学院でも取得できるところがあります。MFAは、経営学修士を表すMBAの人気が高まった時代に、つくられました。多くのMBAホルダーを採用した企業が、彼らを中心にチームを組成し新規事業の立ち上げを担わせたところ、事業の推進が停滞したという話を美大の教授が聞いて、その解決法を探ったことがきっかけであったようです。これにより、美大でクリエイティビティが高いとされる人材をビジネスの世界においても活躍できるような仕組みが協議されました。あるきっかけにより、企業の新規事業のチームに美大の卒業生を1～2人入れたところ創造的なアイデアが生まれ、新規事業が立ち上がるようになりました。

こうした経緯を踏まえて、ビジネスに活かせる学問として、MBAと対比する形で美術系の大学院にMFAが設置されたのです。

MFAとは一体何か？

まず造形教育に主眼を置いており、タンジブルな表現ができるようになることが特徴です。構想したアイデアをタンジブルなものに転換して表現する力を身につけることができるのです。タンジブルな表現とは、造形言語とも呼ばれています。造形言語とは自分自身のアイデアを周りの人々に伝えるためのツールであり、第二言語として英語やフランス語を学ぶように、コミュニケーションの一つである共通言語として、理論と演習の両面から学びます。この具体的な内容について、私が在籍した武蔵野美術大学を例にご説明します。

MFAのカリキュラムは、一般的な造形表現に関する技術を習得する「演習科目」と、表現を行うにあたって必要な理論を学ぶ「講義科目」により構成されています。演習科目は、専攻により対象とする表現の種類は異なりますが、彫刻などのアートワークを課題として課せられることにより、時間内に作品を制作し、出来上がった作品に対して講評をもらうという一連のプロセスで行われます。科目は、美術史やデザイン論などを講義形式により体系的に学ぶというものです。例えば美術史では、過去の作品についてその当時の文脈や時代背景に沿った解説がなされ、受講生は作品制作者の思想や当時扱っていた表現手法、その作者のトリハダ美の感性などの理解を深めていきます。クリエイティブリーダーシップというリーダーシップ論の授業では、現在活躍している起業家やデザイナー、アーティストから直接話を聞くことにより、仕事の内容や目指している方向性や、その人にとってのトリハダ美に値する感性を学ぶことができます。これらの科目が複合的に提供されているため、受講生は、表現者として求められる素養やスキルを体得することができるのです。

また、タンジブルな表現を養う授業では、アート作品を制作するもの、プロダクトデザインやエディトリアルデザインを実践するものなどが存在します。またインタンジブルな表現については、ビジョンデザインやサービスデザインの手法を学ぶ授業があります。さらに特定の企業や自治体と提携することにより、ビジネスデザインやソーシャルデザインに共同で取り組んだり、デザインしたアイデアを実際にサービスとして興して運営したりといった実践的な授業も用意されています。

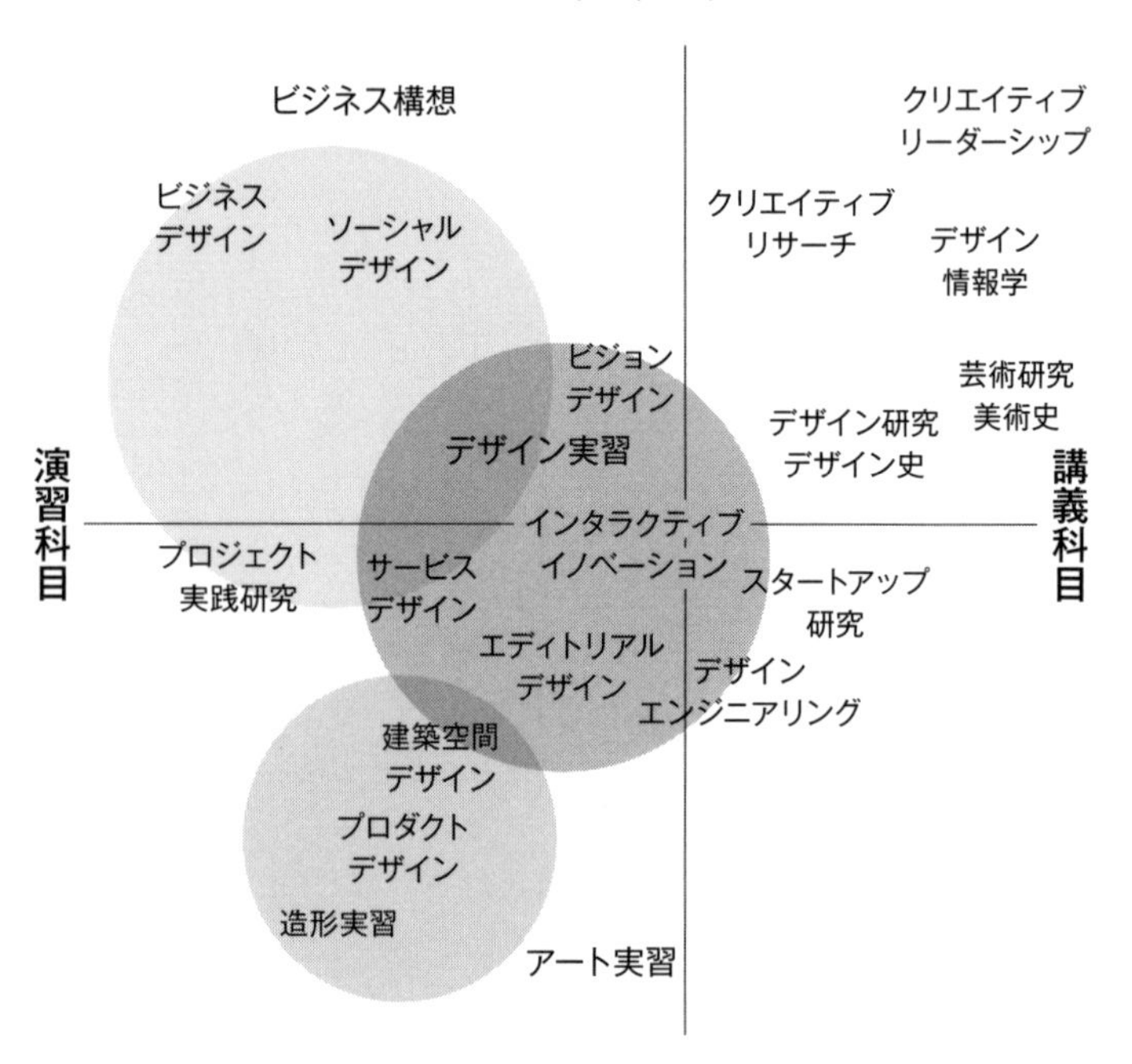
インタンジブル
ビジネス構想
クリエイティブ
リーダーシップ
ビジネス
デザイン
ソーシャル
デザイン
クリエイティブ
リサーチ
デザイン
情報学
ビジョン
デザイン
芸術研究
美術史
デザイン研究
デザイン史
デザイン実習
演習科目
講義科目
インタラクティブ
イノベーション
プロジェクト
実践研究
サービス
デザイン
スタートアップ
研究
エディトリアル
デザイン
デザイン
エンジニアリング
建築空間
デザイン
プロダクト
デザイン
造形実習
アート実習
タンジブル

ＭＦＡで提供されている授業を、演習科目と講義科目という軸、インタンジブルとタンジブルという軸で整理すると、前ページのような図となります。

これまでビジネススクールを中心にビジネスのスキルとして主流であったＭＢＡと比較してＭＦＡは何が異なるのでしょうか？　ＭＢＡの授業にも存在するビジネスデザイン、ソーシャルデザインなどのビジネスを構想するものや、クリエイティブリーダーシップ、クリエイティブリサーチについてもＭＦＡでは学びます。それに加えて、本書で紹介する「エナジネーション」「トリハダ美」「タンジブル化」の３つのアートのスキルを身につけることができるのが、ＭＦＡの特徴となります。

実はＭＦＡの授業で、絵の描き方などの技術を教わる時間は限られています。あくまでも、自分にとってトリハダ美を感じるもの、あるいは感じさせる表現がどういったものであるかを追求し、自分自身の中での解を見つけていくことがＭＦＡにおける学びの中心となります。

特に、トリハダ美のアイデアや造形表現を身につけるに当たりカギとなる、エナジネーションを醸成する仕掛けがいくつも用意されています。まずは、ＭＦＡの授業では、自分自身の経験則に引きずられたバイアスから脱却し、物事の見立てを変えるための工夫が織り込まれているため、強制的にバイアスを外さざるをえない状況に追い込まれるのです。例えば、絵画の授業で立体作品に触れさせる、彫刻の授業ではデッサンから始める、といったものがそれに相当します。ここでは技術を教えるのではなく、すでに学生たちの脳内にある凝り固まった概念を壊すことに教育の主眼が置かれているとも言えます。これらの学びを通じて、「表現をするとはどういうことか?」「自分自身のトリハダ美はどのようなものか?」を自分自身に問いかけながら成長することで、自分自身のアイデアとそれを最も輝かせるための表現を見つけることができるようになります。

このように、ＭＦＡの授業においては、トリハダ美のアイデアを発見し、それを最大限伝える表現にするための引き出しを増やすサポートはしてくれますが、本質的には、自力でこれらを見つけ出して、自分のものとする必要があります。

なお、これらの学びの価値が最大化される理由は、カリキュラムの構成や授業の内容だけではありません。ＭＦＡの特徴を際立たせているのは、学生の分身ともいえる「タンジブルな作品」が物理的に存在しているという点です。課題などにおいて、常にタンジブルな状態の作品を提示する必要があり、自分のアイデアを客観視せざるをえない状態に置かれるのです。その作品を通じて、「それをどうしたかったのですか?　何を表現したかったのですか?」といった教授からの問いかけを得る。それにより、自分は何を表現したいのか、ひいてはどのような課題を解決して、どのような世界を実現したいと考えているのか、自分は何者なのかなど、自分自身に問いかけることが頻繁に行われます。その繰り返しによりエナジネーション、トリハダ美、タンジブル化というアートに欠かすことができない3つのスキルが養われていくのです。キャンパス全体の環境にも「秘密」があります。一つは、工房や加工のために必要な機械が揃っていることはもちろん、制作のために汚してもいい場所が広く用意されていることです。タンジブル化を行う際、空間はとても大事な要素を占めます。例えばきれいな会議室では、汚れを気にして思い切った表現をすることはできないため、制作活動に没頭できる部屋の存在が、様々な制約を気にせずに自由に考えることを促してくれます。

さらに、学友がそれぞれの思いで制作した作品がキャンパスに点在している点です。授業の課題制作品であったり卒業制作品であったり、それらが目に飛び込んでくる環境にあります。まざまざと学友の〝トリハダ美〟を見せつけられ、圧倒され、自らのトリハダ美を研き続けなければいけない……、そのような強い刺激をもらう、魅力的な空間になっています。これらが、レポート課題やプレゼンが中心とされるMBAとは大きく異なる点です。個々の思いがタンジブルな作品として表現されているため、まさにキャンパス全体がMFAという学びのプラットフォームになっています。

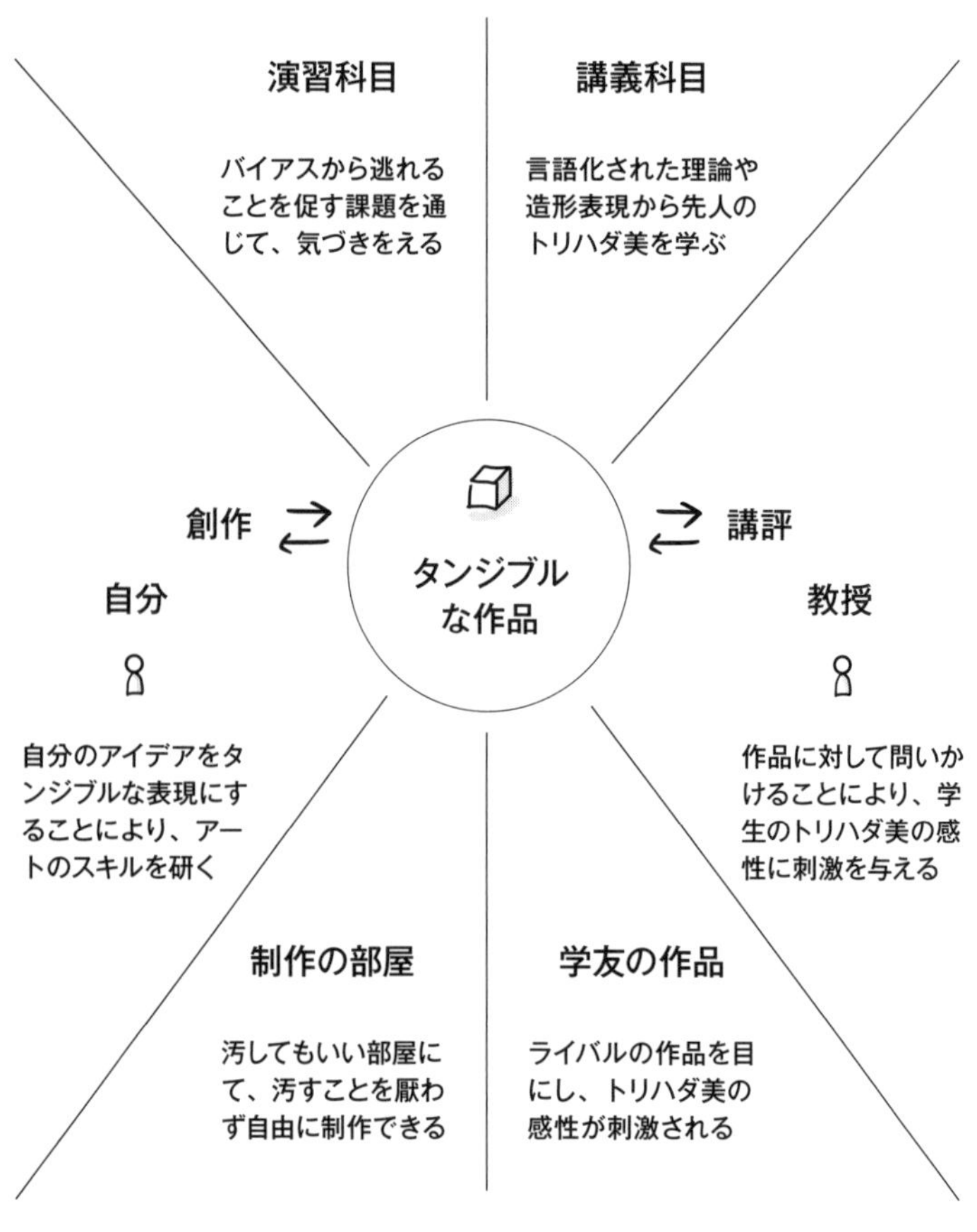

MFA プラットホーム
MFA platform

ビジネスにおけるＭＦＡの可能性

ＭＦＡがどのようにビジネスで役立つのか、社会人の貴重な時間を投下する価値があるのか、などＭＦＡの教育に疑問をもつ方もきっとおられるでしょう。私は、ＭＦＡに通ったことによりビジネスの世界に通ずる多くのことを学びとることができたという確信を持っています。

普段、現業においてはプロジェクトリーダーの役割を担っていますが、プレゼンテーションを行う際、PowerPoint 等を用いて文字や言葉で表現することが多く、タンジブル化の領域に主体的に携わる機会は非常に限定的なものでした。例えば販売物のプロトタイプの製作に関わることがあっても、デザイナーなどのチームメンバーが製作したものを評価するという程度にとどまっていました。その結果、自らがタンジブル化に携わることは稀であり、第3章でお伝えしたようなタンジブル化の工程を通じた重要な作用に気づくことには至りませんでした。

ＭＦＡの授業を通じて、創造性を高めアイデアを洗練させていくためには、単に思考をしているだけでは限界があり、アイデアをタンジブル化することが重要であると気づかされたのです。タンジブル化を自ら行ったことで、その難しさを痛感するだけでなく、身体を使った創作を通した新たな発見が生まれ、トリハダ美をより感じるアイデアを思いつくという感覚を初めて味わいました。

さらに、それらを表現する過程で、エナジネーションが醸成され、よいアイデアの発想とタンジブル化には切っても切り離せないものがあることに気づけたのです。

同時に、現在のビジネスでメインとなっている「それぞれの役割や工程を分離する流れ」が続いていけば、人々をトリコにするイノベーティブなサービスを創りだすのは難しいことも実感しました。タンジブル化の工程でリーダーの立場にある人たちの関わりが大事であり、自分自身が積極的にタンジブル化に対して身体を使って時間を割くことが肝要であるということを痛感したのです。

MFAにおいてはタンジブル化の環境が整備されており、トリハダ美の感覚をより洗練させることが可能となります。漫然と日常生活を送るだけでは習得するのが難しかった「美しいアイデアとは何か」「美しさを感じる表現は何か」といった問いに向き合い、トリハダ美が研ぎ澄まされる感覚に触れることができました。

MFAの体験を通して、あらゆる場面における意思決定を行う際に必要な揺るぎない基準となるトリハダ美を自分の中に持つことができたのです。トリハダ美を活用することは、仕事だけでなく日常のあらゆる場面において、閉塞感のある状況をブレークスルーする上で大きな原動力となります。これが私にとってＭＦＡにおける一番の収穫であったと言えます。

経営戦略としてのＭＦＡ

ビジネスにおけるＭＦＡの可能性について、経営戦略の切り口からも説明を加えていきます。これまで経営学の主流とされてきた分析的なアプローチの経営戦略〈ＭＢＡ経営戦略〉に対し、アートのスキルをベースに経営戦略として昇華させたものを、創造的なアプローチの経営戦略〈ＭＦＡ経営戦略〉と呼ぶことにより、両者の違いを明らかにしていきます。「ＭＦＡ経営戦略が、いかに多くのビジネスにおいて活用できるか」を経営理論や実践的アプローチを通して詳しく述べていくことに主眼を置きます。

また、イノベーション創発に至るポイントを明らかにするために、独自の研究（研究２：研究方法については巻末に記載）を行いました。具体的には日本の大企業において既存事業と一線を画す事業を創出した方々10名を対象にインタビューを行ったのです。彼らは日本の大企業に所属する事業責任者あるいはそれに相当する役割を担う立場の方々です。本書ではそのような立場の方々を事業リーダーと呼び、事業を立ち上げるにあたってリーダーシップを発揮するすべての人々をリーダーと呼ぶことにして、話を展開していきます。

日本の大企業では、大きな投資判断を除いて経営者が彼らに対して事業化に向けた相応の判断を任せ、事業本部長、部長といった事業リーダーを中心に事業を推進していくケースが多く見られます。これは欧米の企業等でよく見られるトップダウン経営とは異なる経営スタイル（ミドルアップ型）を、多くの日本企業が採用しているためです。

ヒト・モノ・カネを動かす際に制約条件がどうしても存在する日本の事業リーダーが、どのようにリーダーシップを発揮して事業を創出したかを知ることは、イノベーション創出の仕組みを知る上でも大切です。実は、このインタビューによって得られたポイントをMFA経営戦略の特徴やアートのスキルに照らして整理した結果、その方々に共通する思考や行動様式とMFA経営戦略には共通項が多いことが明らかになりました。それは、アートのスキルを活用したMFA経営戦略は、イノベーションを創出する際に役立つということです。

ここから、ビジネスにおいてMFA経営戦略が「どの局面で効果を発揮するのか」「どのように取り扱えばいいいか」を、ご紹介していきたいと思います。

MFA経営戦略が適用される経営理論

入山章栄氏の著書『世界標準の経営理論』では、「学術的な意味における戦略とは企業を取り巻く環境を前提に、業績を向上させるための、経営資源を使った、企業の行動・アクションのことである」と記されています。その中には、経営に関する道筋を立てる「経営戦略の領域」と、立ち上げた事業を管理し改善を促す「マネジメントの領域」が存在します。

マネジメントの領域においては、これまで通り分析的なアプローチである「MBA経営戦略」（以下、MBA）が機能するものの、経営戦略の領域においては、経営理論によって適用されるものが異なる点に注意する必要があります。

経営理論は、大きくは競争戦略とイノベーション領域に分かれます。競争戦略は、主に自社の競争環境や強みを引き上げることで参入障壁を高くすることを目標とするものです。また、経営資源や市場の競争相手である他社との差別化を図ることにより、市場の自社のポジショニングに注目するのがポイントとなるため、既存の市場分析を徹底して行います。

イノベーションは、さらに「漸進的イノベーション」と「急進的イノベーション」の2つに

市場状況	顧客のニーズが安定		顧客のニーズが不安定
見通し	予測可能		予測不可能（VUCA）
経営理論	競争戦略の理論		イノベーションの理論
競争環境	完全競争 完全独占	独占的競争	不確実性の高い競争
競争の型	IO 参入障壁を築く	チェンバレン 自社を差別化する	漸進的イノベーション 既存製品を改善し 既存価値を向上させる 急進的イノベーション 新しい価値を提案し 不連続な成長を達成する MFA

出典：入山章栄氏『世界標準の経営理論』を基に著者が作成

分かれます。漸進的イノベーションとは、既存の製品やサービスの性能を向上させ、市場や顧客に対して提供する価値を改善していくというものです。急進的イノベーションとは、顧客のニーズも市場も予測ができない状況において、新しい価値を伴った製品やサービスを生みだすことで、不連続な成長を達成していくというものです。これはまず新技術やアイデアにより既存市場の常識や価値観を劇的に変化させることを目的とします。さらに今までとは全く異なる価値を提供することで既存市場に対して参入する、あるいは全く新しい市場を形成することを目的とするものです。

なお、既存の市場分析を徹底して行う競争戦略の理論や、既存製品に対してより優れた性能を提供することを目指す漸進的イノベーションは、分析的な手法により解を求めることが特徴となるため、主に、ＭＢＡのアプローチが活用されています。

一方、「ＭＦＡ経営戦略」(以下、ＭＦＡ)は、今までと全く異なる新しい価値を生みだすという急進的イノベーション(以下、イノベーション)において有用なものです。分析的な考え方だけでは導くことができないような不確実性が存在する状況下で、アートのスキルを活用した創造的な振る舞いによる、これまでにない新しいアイデアの実現を図ります。

このように、ＭＢＡとＭＦＡの両者は補完関係にあります。そのため、置かれている状況や求められている経営理論に応じてＭＢＡとＭＦＡを使い分ける、という両方のアプローチが必要となります。ＭＢＡのアプローチを用いて競争戦略に対応しつつも、閉塞感のある状況で新しい価値を提供するビジネスを創りだすＭＦＡを活用可能な状態にしておくことが、強く求められるのです。

「ビッグアート」によりイノベーションが生みだされる

経営戦略の領域は、「目的や方向性を定める領域」と、「それに向かうための戦い方を定める領域」の2つに分かれます。

MBAでは、BCGマトリクスやポーターの5フォースなどのフレームワークを用いて、既存の市場の動向を分析し、さらにベストプラクティスや競合の戦略を分析することにより、「科学的」に戦い方を定めます。加えてデータを科学的に分析することで、自社の競争優位となる市場や戦い方を見極めていくのです。また、戦い方を決める際「ビジョンやパーパスといった目指すべき方向性となる指針」を定めることが推奨されています。

しかしながら、ビジョンに関しては、イノベーションの研究において以下の2つの問題が提起されています。

1つ目は、組織としての方向性と個人の主観とのバランスについてです。一般論として、組織内の人間が同じ方向性に向かうためには、組織目的としてのビジョンや組織文化といった概念が重要とみなされています。こうした考え方のベースには、組織全体のビジョンや組織文化が個々の行動や判断に影響を与え、それらの行動を調整し、共通のイノベーションを追求するというものがあります。

一方、本来、イノベーションは、組織にとっての新たな視点や発想、異なる解釈や経験を基に、新しい価値を創出するための道筋を切り拓き、従来の組織の枠組みや戦略を大きく逸脱する可能性を追求するものです。ここでは、社員である個々の創造力や想像力、そして主観的な判断力が非常に重要な要素となります。しかし、ビジョンや組織文化というのは、集団の意思は反映されるものの、必ずしも個々の主観や感情を包含するものではありません。そのため、ビジョンのみで方向性を示してしまうと、ビジネスパーソン一人ひとりが持つ主観や感性などが欠落してしまうため、多様性や創造性は損なわれ、新たなイノベーションの可能性が見過ごされてしまうことになります。

2つ目の問題は、ビジョンをはじめとする組織目的が、あまりに抽象的になりすぎてしまったということです。これまでのビジョン研究においては、抽象的な概念が重視されてきました。一般的にビジョンとは周囲の人々が理解できるような言葉を使って、目的意識を与えることや、高い理想や価値観に訴えること、切迫感や勢いを生みだすことで浸透させるものとされています。つまり、ビジョンというものは倫理性や道徳性といった先験的に存在する抽象的な概念であり、それらをトップが社員に浸透させることが重要であるとされてきたのです。

しかし、組織が大きくなり目的が具体性を失ってくると、組織の行動が混乱し組織内部での説明責任が果たせなくなってきます。

実際のビジネスの現場において、このような発言を聞いたことはないでしょうか。「ビジョンは悪くないけれども、具体的に何をするかがわからないので、なんとも言えない」「アイデアはわかったが、実現できるのか」といったものです。そのようなことが起こる理由は、プロトタイプの作成や実サービスの構築などの具体的な動きをビジョンと切り離して提示しているためです。

したがって、イノベーションを起こすためには、一人ひとりの創造力や想像力、主観性を重視しながらも、組織としての方向性を一つにする方法論を企業経営の中に組み込む必要があります。

そのカギを握るのが「美」と「タンジブル」なのです。

まずは組織の方向性と個々の主観を結びつけるのが「美」の役割となります。経営学の研究においても、主観の多様性を認めながらも、共感や感性を通じて組織での新たな秩序を生む役割としての「美」の必要性が明らかになっています。

先ほど示した研究で、トリハダ美には、ビジネスを立ち上げる当事者であるリーダー自身にとって取り組むべき意義を満たし、組織として事業を行う意義を満たす、という意味が含まれていると述べました。それにより、トリハダ美は組織としての方向性と個々の主観性を結びつける性質を持つ概念であることがわかります。

さらに、そのトリハダ美によって導いたアイデアに関して具体をもって示すことが必要となります。つまり抽象的な概念に値するビジョンだけでなく、それを「タンジブル」な表現に転換することが求められるのです。このようにビジョンとタンジブルがひとつの塊である必要が

経営戦略		競争戦略 漸進的イノベーション	急進的イノベーション
	目的・方向性を決める	ビジョンデザイン パーパス策定　等	ビッグアート MFA
	戦い方を決める	市場分析 競合分析　等	
マネジメント	管理・改善を行う	アカウンティング　等	

あり、これまで紹介してきた「アート」そのものとなります。

MFAでは「アート」を行うことにより戦略を定めるのが特徴です。グッチ、ボッテガ・ヴェネタ、サン・ローラン、バレンシアガなどのファッションコングロマリット、PPR（現ケリング）の創業者であるフランスの実業家フランソワ・ピノー氏は、「芸術には世界を変える人間に働きかける力がある」と語っています。ビジネスの世界では、「世界を変える人間に働きかける」ことにより、人々が営む社会システムを変革するほどのインパクトを与えていかなければなりません。そのような社会システムを変革するほどの新しい価値を提案する営みを行うため、また一般的なアートと区別するために、本書では

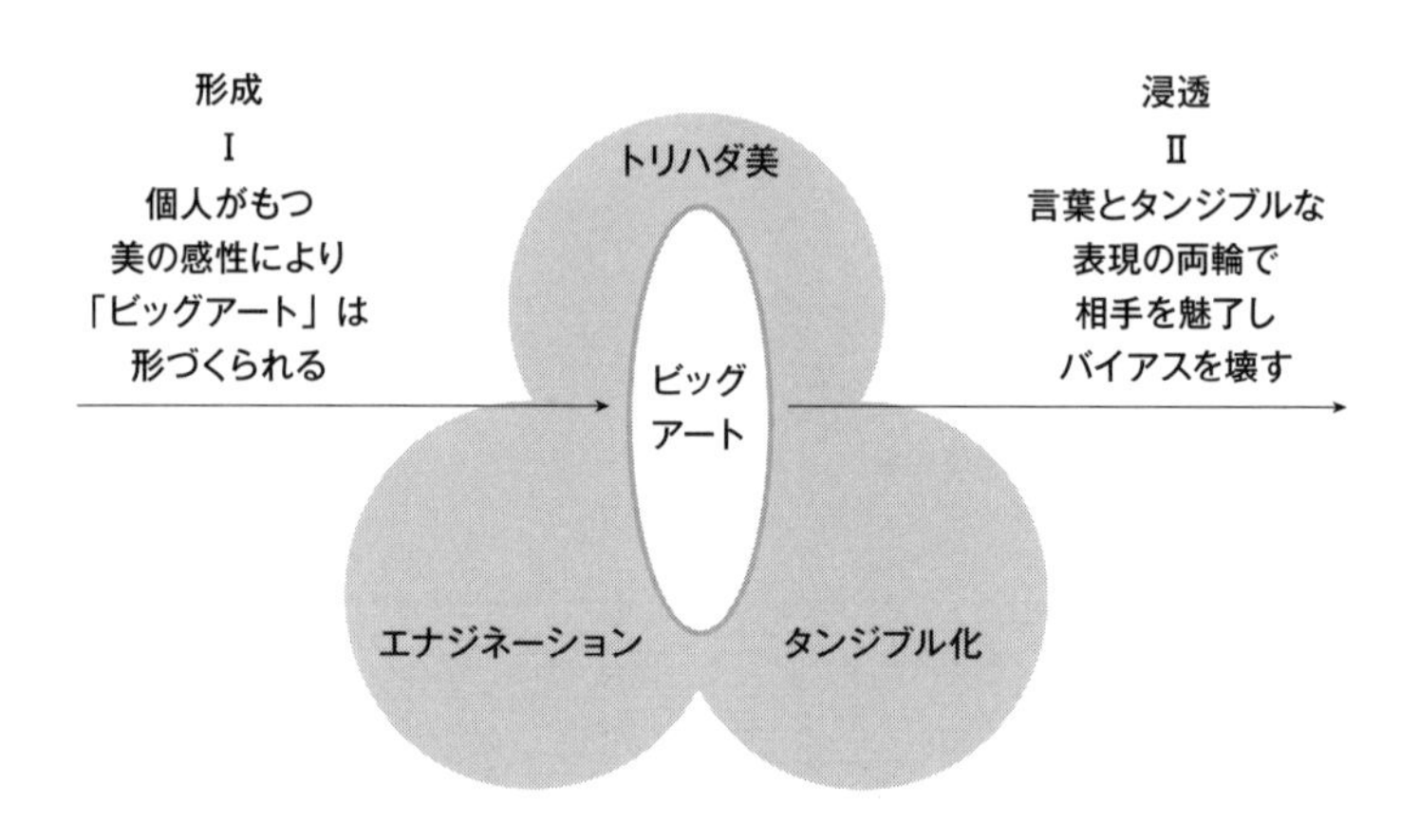

「ビジネスにおけるアートの営み」を、「ビッグアート」と呼ぶことにします。

ここまでの内容を整理すると、経営戦略の領域においてＭＢＡとＭＦＡでは策定する対象が異なるということです。ＭＢＡではビジョンやパーパス、市場や競合を対象にしているのに対し、ＭＦＡではビッグアートを作りだす点に特徴があります。

ビッグアートとは、一人ひとりの創造力や想像力を起点に生まれたものであり、美の感性によって主観的に判断しながら形成されていくものですが、これは事業を立ち上げる当事者だけでなく、周囲のステークホルダーにとってのトリハダ美にささるものでなければなりません。また、新しい価値観を世の中に浸透させるために、ビジョンのような抽象的な概念にとどまる言語表現だけでなくアイデアの具体的イメージや、製品やサービスなどのタンジブルな表現を中心に据えたものを、ひとつにまとめる必要があります。

さらに、リーダー自身がこのビッグアートの形成と浸透を主体的に行っていかなければならず、そのために、アートの3つのスキル「エナジネーション」「トリハダ美」「タンジブル化」を最大限活用することが求められるのです。

ビッグアートのポイントをまとめると、次の通りになります。

1. 個人がもつ美の感性により「ビッグアート」は形づくられる
2. 言葉とタンジブルな表現の両輪で相手を魅了しバイアスを壊す
3. 現場におけるリーダーの探索や創作がトリハダ美の強度をあげる

これらのポイントを押さえつつ、目的や方向性を定め、戦い方を策定する一連のプロセスにおけるMBAとMFAの相違点を紹介していきます。それぞれについて見ていきましょう。

Point 1 個人がもつ美の感性により「ビッグアート」は形づくられる

ＭＢＡは、ビジョンデザインやパーパスの策定を行うことにより目的や方向性を定め、戦い方を決めていく特徴をもちます。その際、市場分析や競合分析を行い、プロトタイプを作成するといった順序立てたアプローチをとる傾向にあります。

さらに近年、環境保護などエシカル（倫理的）な取り組みが経営に求められるようになったことにより、あまたある社会的課題の中から、「どのような領域を解決する会社でありたいか」という問いへの答えをもっていることが望ましい企業のあり方であるとされています。それにより、アイデアや事業戦略を検討する前にパーパスの明確化が唱えられ、パーパスを再定義することに注力する企業が増えました。そうした背景により、組織として掲げるビジョンやパーパスに従い、それ以降の事業のプロセスを順序立てて進めていくことが、より一層求められるようになってきたのです。

一方、ＭＦＡにおいては個人の主観である美の感性をベースに、方向性やアイデアを定めていくのが特徴となります。ビジョンを基にトップダウンで後続のプロセスを策定するのではなく、創りたい世界を想像した上に新たな事業を思考しタンジブル化する一連の過程を通して、ビッグアートという一つの塊として徐々に明確化していくのです。目的や方向性を決める領域、

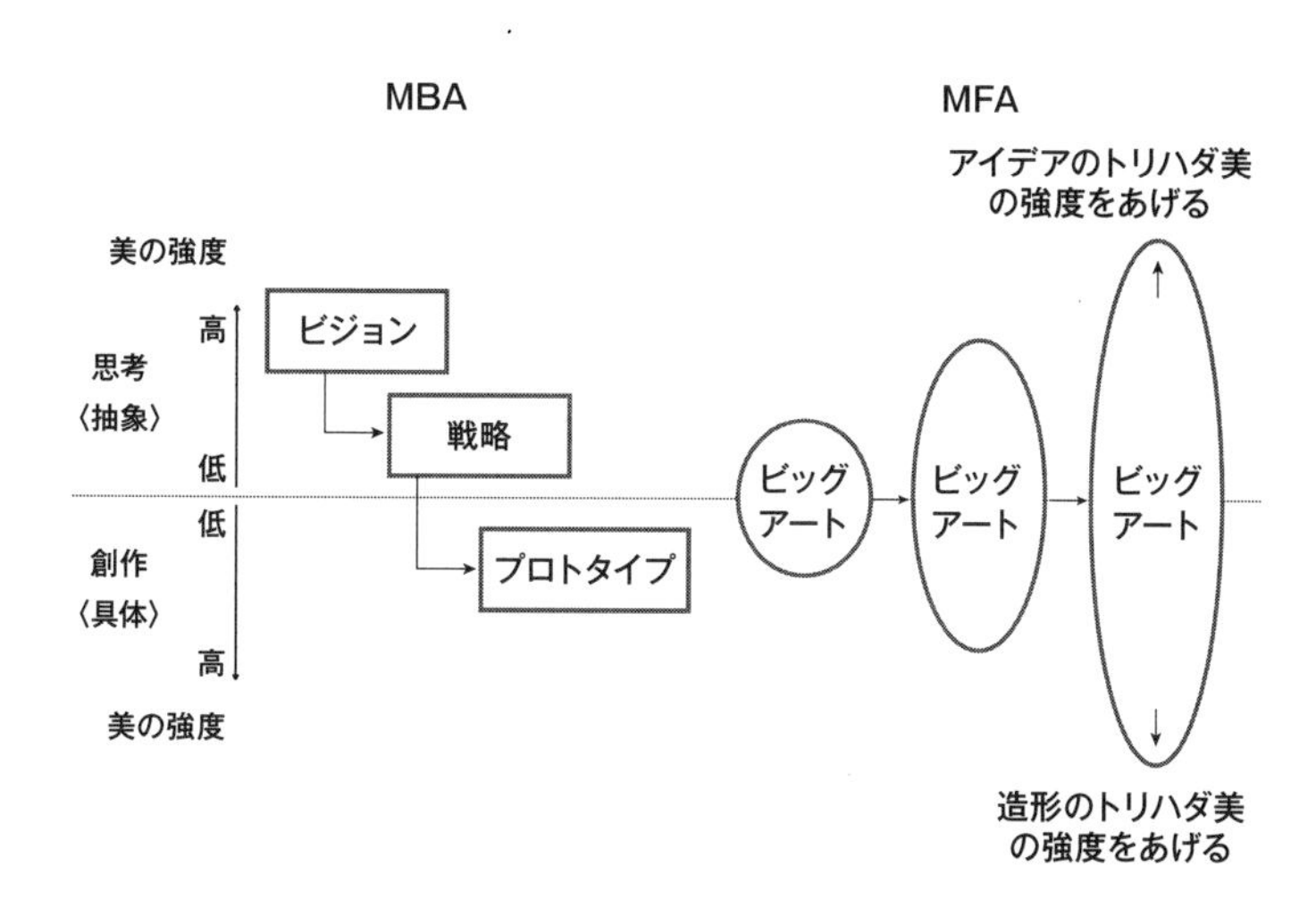

戦い方を決める領域を切り離さず、抽象的な概念やタンジブル化したものを一つの塊としてビッグアートを形づくっていくのです。その中で、事業における「アイデアのトリハダ美」とタンジブル化させた製品やサービスの「造形のトリハダ美」の双方の強度もあげていきます。

これらは、10名のインタビューを通じて明らかになったビジネスの実態とも符合するものでした。イノベーションを創出する初期のタイミングにおいて、事業リーダーである主体者は、何か新しいものを創造したいという意欲は持っているものの、各々が持つ創造性が最大化されているわけではありませんでした。最初からきれいなビジョンを描いていたり、トリハダ美で心が揺さぶられるようなアイデアを持ち合わせていたりすることは、まずありません。あくまでも、自分自身による行動を通して創造性が高まり徐々にエナジネーションが醸成されることにより、トリハダ美を感じるビッグアートが形づくられていくのです。

重要なのは身体的な活動を通じて、新しい洞察を得ることで創造性が醸成されていくという点にあります。つまり、最初からきれいなビジョンが描かれているのではなく、身体を使って新しい発見をすることにより、トリハダ美で心が揺さぶられるような新しいアイデアやそれを実現するための目的が明確になっていくのです。特にタンジブル化の過程を経ることにより、ビッグアートにおけるトリハダ美も洗練されていくだけでなく、自分自身のバイアスから脱却し、見立てを変えることにより新しいアイデアも構想されていきます。このようにタンジブル化によりアイデアを客観視できるようになることで、トリハダ美で心が揺さぶられるビッグアートとして結実するのです。

タンジブル化こそ、よいアイデアを導くための必要条件となります。個人の主観である美の感性がアイデアの起点になる一方、タンジブル化などの身体的な行動が伴わなければ創造性は高まっていかず、アイデアもその目的となるビジョンも、それらをタンジブル化した表現のトリハダ美も研ぎ澄まされていかないということを意味します。つまりMBAのアプローチのように順序を立てて事業を進めることは難しいため、新しい事業においては、これらをひとまとめにして進めることが不可欠なのです。

Point 2｜言葉とタンジブルな表現の両輪で相手を魅了しバイアスを壊す

ＭＢＡにおいて、ビジョンは抽象的な概念であり、道徳性などが重視されてきました。また、これは高い理想や倫理観で人の情動に働きかけ、言葉を中心としたストーリーで語りかけることにより、組織としての方向性を社員に浸透させるものとされてきました。

一方、ＭＦＡでは徐々に形づくられていくビッグアートを、その都度必要とするステークホルダーに対して伝えていくことになります。ビッグアートとは、抽象的な概念だけでなくアイデアの具体的なイメージや、製品やサービスといったタンジブルな表現を中心に据えたものです。それを周囲に対して浸透させるために、言葉を使った説明だけでなくタンジブルな表現も併せて提示していく必要があります。さらにその表現に「造形のトリハダ美」を備えることも浸透させるための決め手となります。未知のサービスを提案する際、サービスなどの実物を提示することができないことも多くあります。そこで強い力を発揮するのが、造形としての表現です。その際、イメージや図など言語以外の手段としてタンジブルな表現法を有していることが重要となります。また言語表現のブラッシュアップに努めながら、プロトタイプやサービスといったタンジブルな表現も同時に提示することが最も効果的であり、新しい事業を成功に導くための近道となります。

これは、インタビューを行った10名の経験の分析からも明らかになったことでした。イノベーションの創発にあたり、彼らが作りだし、浸透させようとするものは、決してビジョンと呼べるような大袈裟なものではありませんでした。実際には、自身が生みだしたアイデアに対して多くの人々に共感をしてもらう行動の積み重ねこそが、成功のカギとなったのです。具体的には、言葉とタンジブルな表現を何度も見直して、それらを幾度も組み合わせることにより、人々を一気にトリコにする「造形のトリハダ美」を生みだしていました。これは、本書で紹介してきた「ビッグアート」そのものです。

このような対話の仕方を工夫して物事を進める、といった一見まわりくどい進め方は、トップダウン経営の時代には、さほど重要視されてきませんでした。トップは実現したい未来を語り、それらを実現するために事業リーダーや現場の社員に対して強い指示を出して、社員はそれに従って事業を遂行するといった、非常にシンプルかつ効率的な進め方が、理想的であるとされたのです。現在もＧＡＦＡなどの欧米企業のように、強いトップを置き、強いトップダウンによる経営で大きな収益を創出している企業は存在します。

しかし、特に日本企業において、強いトップダウンによる経営を行っている企業は限定的であり、経営会議において合議制を敷いた上で、事業リーダーに事業を一任する形式が一般的です。そのような場合、リーダーは対話を通じて関係者に協力を仰ぐ必要があります。特に大企業においては事業プランを実現するために、アイデアに対して社内において多くの協力を得ることが求められます。まさにこれは、欧米企業とは異なりトップダウンで強制的に方向性を指示できる状況に置かれていない、日本の大企業における事業リーダー特有のリーダーシップの発揮法です。

では、ビジネスにおけるタンジブルな表現の役割や効果とはどのようなものでしょうか。

まずは第3章でも述べたように、新たな価値観が伴うアイデアを周囲の人々に理解してもらう必要があります。言葉の表現だけでは既成の概念にとどまり、新たな価値観を伝達するには限界があるので、これらにタンジブルな表現も合わせることにより、それぞれが持つ固定観念を壊すことができます。

加えて、タンジブルな表現を行うということは、アイデアを物質として眼に見える形で存在させるということです。人は事実や自分の眼で見たものを信じるという性質を持っています。存在している以上、科学的に実現できることを証明していることになるため、それが未知のアイデアであっても実現することができると認めざるをえません。つまり、ビジネスにおいてのタンジブル化は、アイデアを可能な限り事実に近づけるだけでなく、協力するか否かを判断する際に重要となる実現性を証明することにも役立つのです。

このように、言葉だけでなく実物などのタンジブルな表現における「造形のトリハダ美」を研き、相手の五感を刺激し、トリハダ美を感じさせることにより、相手が持つバイアスを壊すことが可能となります。そうして、ビッグアートは周囲の人々に受け入れられるものとなっていくのです。

さらに、ステークホルダーのトリハダ美を刺激するだけでなく、ビッグアートから滲みでるエナジネーションが相手に伝わることにより、多くの人の協力を獲得し、最終的に事業の成功へとつながっていきます。

Point 3 ― 現場におけるリーダーの探索や創作がトリハダ美の強度をあげる

これまでの時代は、MBAホルダーが得意とする問題解決を効率的に行うことを前提として組織が設計・運営されてきました。特に日本企業において組織を動かす際、方針を掲げた上で戦略の実行をトップダウンで行い、必要な情報の収集はボトムアップで行うというケースが一般的です。

そのような背景から、ビジョンデザイン、戦略策定、プロトタイプの作成など、それぞれの活動を分業して行うことがよしとされてきました。例えば、ビジョンデザインは経営者をはじめとするトップが行う、事業の戦い方を決める活動は事業リーダーが行う、その戦略に従ったモノづくりはシステム部門が行うといったことです。特に、プロトタイプを作成するといったタンジブル化の行為については、デザイナーやエンジニアなどの専門家のみで行うことが多くあります。事業リーダーは、あくまでもそれらの承認者にすぎず、専門家が作成したものに対して評価・承認する役割を担い、タンジブル化の領域を主体的に行うといった例はあまり多く見られません。このように事業リーダーは、戦略の道筋を立てるといったインタンジブルな表現領域のみを担当するという状況が、多くの企業で見受けられるのです。

情報を収集し問題を整理するという過程においても、一般社員が現場で調査し、生の事象である「一次情報」を収集し、それをまとめて上長に報告する流れが一般的で、リーダーは、このまとめられた「二次情報」を基に判断を下します。部下は具体的かつ身体的な行動を伴う世界、上司は抽象的な思考の世界だけにとどまり、まとめられた二次情報を基に適切な判断を行うことがリーダーの価値であるとされてきたのです。

比較的予測可能な経営環境である場合は、データに基づき科学的にビジネスを行うことができるため、一次情報も分析的かつ演繹的にまとめることができ、それに対して正解を選ぶという判断が問題なく実現されてきました。また客観性が担保されたデータという「一本の太い柱」がベースにあるため、それぞれの役割の人がそれぞれの範囲で意思決定を行ったとしても、同じデータを見ながら物事をきちんと推進することができたのです。

一方、現在は予測不能な環境下にあります。抽象的な領域にとどまり、思考のみで意思決定を行ってきたリーダーの価値は今、大きく変わろうとしています。生成ＡＩ等のテクノロジーの発展により、情報が簡単に手に入り、情報収集の価値はますます下がっていくとみなす傾向がますます強まっています。そのため、情報収集など効率化できる部分はテクノロジーに任せ、その情報を基に思考する領域に注力したほうが得策であるという見誤った考えに陥りがちです。また、これから人間に求められる役割が創造性にシフトするからといって、アイデアを発想するために思考のみを働かせることに注力するのは危険です。そのように、他人任せ・機械任せにして一次情報に触れず、二次情報のみでアイデアの発想を行おうとすればするほど、イノベーティブなアイデアを出すことができない方向へと進んでいくのです。

創造的なアイデアを生みだすために、一次情報を取りにいく行動や自らの五感で感じとる行為をないがしろにしてはいけません。

身体を使ってタンジブル化するという行為も同様です。リーダーこそ、目線を下げ現場に下りて五感をフル活用して一次情報を収集する。これからはそれらを基にアイデアを生みだし、

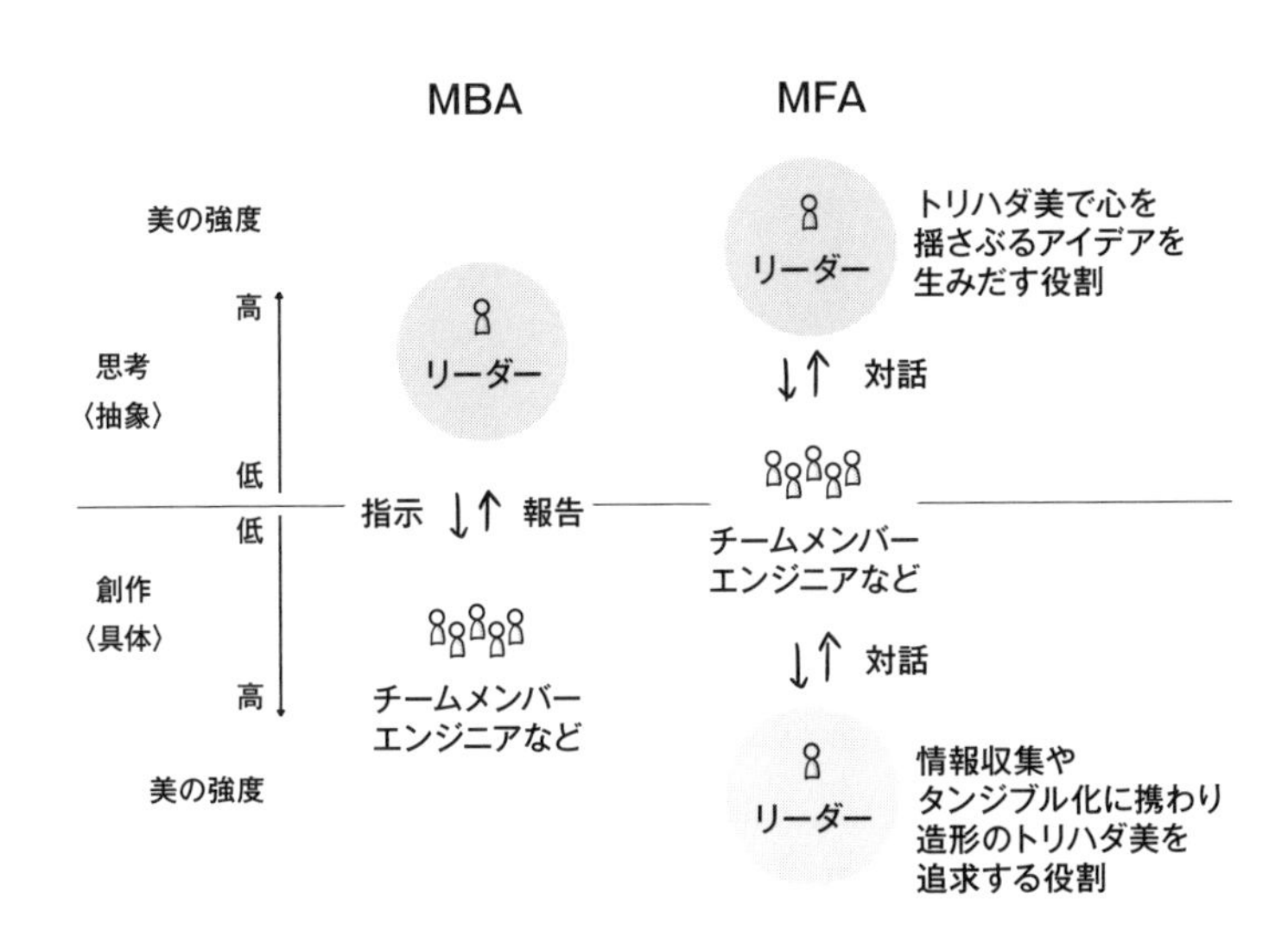

眼に見える製品やサービスへと形づくっていくことが、リーダーとしての新しい価値となるのです。

このように、MFAを用いたアプローチを推進する際、時代の流れを見誤ることなく、事業リーダーをはじめとするリーダーシップをとるべき皆さんが、主体性を持って身体的活動が伴う領域にも積極的に携わっていくことが求められます。そのためにはリーダー自らが現場に出向いて観察し、目や耳などの五感を使って事象を発見するといった探索活動や、エンジニアと共にプロトタイプや実際のサービスを作るなどといった動きがますます重要となります。デザイナーやエンジニアだけに製作を任せず、関係者皆が一心同体となりタンジブル化に関わることが求められるのです。

その結果、リーダー自身のエナジネーションも高まり、経験則に引きずられたバイアスからも脱却できるようになり、アイデアにおけるトリハダ美の強度をあげることにつながっていきます。これらの最も難しく価値が高い領域とされる「眼に見えるモノを形づくり、トリハダ美の強度をあげる」役割を、リーダーの皆さんには担っていただきたいのです。今後、これがイノベーションの創出を目的とするリーダーのあり方となると確信しています。

まとめ

ここまで、MFA経営戦略の概要や特徴を説明してきました。しかしながら、それぞれ方法論として適切な使い分けが必要であり、MFAは必ずしもどの局面でも適用することができるというわけではありません。これからは何事も過大な期待を持ちすぎず、ゼロか100かで単純化された「ゼロサム思考」をやめるべきです。MFAが有用に働くのは急進的イノベーションを創発する戦略を検討するときであると私は考えます。つまり、MFA経営理論はこれまでにない新しい価値観をもたらすアイデアを生みだすときに最適なものなのです。

また、ＭＦＡにおいて、イノベーションの創発の軸となるのが「ビッグアート」であり、今後これのさらなる活用と運用が求められます。ここまで、ＭＢＡとの相違点を交えながらＭＦＡの特徴について説明してきましたが、ビッグアートのポイントとしてまとめると次の通りとなります。

1．個人がもつ美の感性により「ビッグアート」は形づくられる
2．言葉とタンジブルな表現の両輪で相手を魅了しバイアスを壊す
3．現場におけるリーダーの探索や創作がトリハダ美の強度をあげる

ビッグアートは、一人ひとりの創造性や想像力を起点に生まれ、美の感性によって主観的に判断しながら形成されるものであり、抽象的な概念だけでなくアイデアの具体的イメージや、製品やサービスなどのタンジブルな表現が中心に据えられたものとなります。今後事業リーダーをはじめとするリーダーシップを発揮すべき皆さんが、現場に下りて陣頭指揮を執ってこのビッグアートを主体的に形成していくことが望まれます。

最後に一点補足します。タンジブル化というと、モノとしての商品が存在する事業に限られており、金融などのサービス系の事業には関係ないと思われた方もいらっしゃるのではないで

MBA		MFA
ビジョンや組織方針を基に、戦略やプロトタイプを順に策定する	形成	個人がもつ美の感性により「ビッグアート」を形づくる
高い理想や倫理観で情動に働きかけ言葉を中心にストーリーを語る	浸透	言葉とタンジブルな表現の両輪で相手を魅了しバイアスを壊す
リーダーは抽象的な領域にて思考を働かせ情報を基に判断を行う	役割	リーダーは現場における探索や創作によりトリハダ美の強度をあげる

しょうか。

しかし、アートのスキルをベースとしたMFAは、金融などのサービス系の事業でも有用であると私は考えています。一般的に、保険や長期投資目的の金融資産などは所有している・契約しているだけで価値を持つため、高頻度で商品に触る必要がないと捉えられてきました。そのため、銀行や店舗の空間や、接客するスタッフなどを洗練させることによって、顧客自身がその価値を身近に感じることができるよう、企業努力がなされてきました。つまり、顧客自身がその価値を身体で感じられる、何かしらのモノやコトを常に提供してきたのです。

さらに、デジタル化の進展により、タンジブル化の重要性が増しています。例えば、ウラジミール・テネフ氏、バイジュ・バット氏は、これまで「専門家のもの」だった投資を「みんなのもの」にするという信念をもって、Robinhoodを創業しました。彼らは金融アドバイザーに頼らずに手軽に自分で投資方法を決められるスマホアプリを提供したのです。アプリは、若い世代が使い慣れているSNSやモバイルゲームのようなユーザーインターフェースを備えており、1日に10回以上もアプリを開く人もいます。その結果、一見、退屈に見える投資活動を、簡単に楽しめて習慣性のあるものに変えることに成功し、若い世代を中心に利用が広がり、ユーザーは1000万人を超えています（2022年末時点）。

また他の企業もこうした取り組みの重要性にすでに気づいています。例えばJ.P. Morganは、2022年に「プロダクトをビジネスの中心に据えた体制」へと軸足を移すと発表しています。したがって、無形のサービスと思われがちな業態であっても、顧客に提供したいコアな価値をタンジブル化する技術がますます必要になってくると言えます。このように、アートのスキルをベースにしたMFAは、あらゆる事業に携わるビジネスパーソンにとって必須なものなのです。

次章では、ビッグアートを形成し、それを浸透させるプロセスにおいて、具体的にどのような行動が求められるのか、活用できるアートのスキルはどのようなものかについて、実例を交えながら詳しく解説していきます。

第5章 MFAの実践的アプローチ

芸術作品は経験のなかで生まれ、経験のなかで作用する。

——米国の哲学者　ジョン・デューイ

MFAの実践的アプローチに関する全体像

本章では、実際のビジネスの現場で活用できるよう、MFA経営戦略を具体的かつ実践的な形にしたものをMFA実践的アプローチと呼び、論を進めていきます。4章で述べたように実際に筆者が、イノベーションに相当する新規事業を創出した大企業で活躍するリーダーにインタビューをした結果から、彼らの思考や行動には共通した特徴があり、それらがMFA実践的アプローチと共通項が多いことがわかっています。つまり、MFA実践的アプローチは、イノベーションを創出する際に役立つものであることが期待できるのです。

それでは、イノベーション創発において核となる「ビッグアート」をいかに形成し、浸透させていけばいいのかについて実例とともに紹介していきます。

ビッグアートの形成は、次の4つのステップを通じて実現されます。

Step 1　対話や探索によりエナジネーションを高める

Step 2　バイアスから逃れ、新しい価値観をもたらすアイデアを発想する

Step 3　三方の心を揺さぶるトリハダ美を発見する

Step 4　現場でリーダーがタンジブル化に携わることによりトリハダ美の強度をあげる

まず「何か新しいことを創造したい」という好奇心を持つことが、イノベーションを創発するために必要な前提条件となります。新しいプロジェクトが始動すると、役割を果たそうという貢献意識が働き、プロジェクトを前に進めるための一歩を踏み出すこととなります。その後、様々な人と対話を行って、疑問点を探索することにより、内発的動機づけが行われ、創造性がさらに高まっていきます。

このようにアイデアを生みだすためのエナジネーションが醸成されることにより、個々人が主体的かつ創造的にテーマに向き合い、自分自身が持つバイアスからの脱却が可能となります。こうして経験則によるバイアスから逃れることで、既存の価値観を破壊するイノベーションにつながるようなアイデアが生まれるのです。

ここで、アイデアを形づくる際に心が揺さぶられる「トリハダ美」を発見できるかどうかが問われます。自分自身の人生の文脈の中で培った「美」の感性を駆使することが求められるのです。それにより、生みだされたアイデアというものが「自分自身」「自社」「顧客」にとって、三方よしとなる範囲に「トリハダ美」が収まっているかどうかの冷静な判断が必要となります。

そのアイデアに対して、リーダーは主体となり製品やサービスに仕立て、現場に赴き検証を行うことが求められます。そこで、気づきから得たアイデアのブラッシュアップを行うことで「トリハダ美」の強度があがっていきます。また、さらに修正を加えたアイデアを基に製品やサービスをブラッシュアップさせていくことができます。

これら一連のプロセスを経て、アイデアとタンジブル化したサービスを融合させた「ビッグアート」が形成されていくのです。

ビッグアートの浸透というのは、次の2つのプロセスを通じて実現されます。

Ⅰ　形成	個人のもつ美の感性により「ビッグアート」を形づくる	step 1　対話や探索によりエナジネーションを高める
		step 2　バイアスから逃れ新しい価値観をもたらすアイデアを発想する
		step 3　三方の心を揺さぶるトリハダ美を発見する
		step 4　現場でリーダーがタンジブル化に携わることによりトリハダ美の強度をあげる
Ⅱ　浸透	言葉とタンジブルな表現の両輪で相手を魅了しバイアスを壊す	step 5　ビッグアートのトリハダ美により相手を直感的に魅了してバイアスを壊す
		step 6　直感的にいいと感じたものに対して論理と情動により何らかの意味づけを行う

Step 5　ビッグアートのトリハダ美により相手を直感的に魅了してバイアスを壊す

Step 6　直感的にいいと感じたものに対して論理と情動により何らかの意味づけを行う

イノベーションにつながるようなインパクトのあるアイデアは、新しい価値観の提案なので、最初から周囲の人々の共感を得られることはほとんどありません。そのために必要となるのは、ビッグアートによる「造形のトリハダ美」です。アイデアとしての「トリハダ美」はもちろんのこと、表現としての「造形のトリハダ美」が整っていることにより、直感的に相手を魅了することができます。他者の理解を助けるための「適切な言葉選び」

をし、顧客が利用する場面を想起できるよう、絵や実物といったタンジブルな表現を研くことで「造形のトリハダ美」が洗練されていくのです。それにより相手の五感が刺激され、バイアスを壊すことにつながります。

相手に直感的にいいと感じてもらった後、さらに論理と情動で意味づけを行っていきます。シンプルかつ論理的な説明を行い、自分自身が「アイデアを必ず実現させる」という強い意志を持ち続け、それを示すことにより、相手の情動に働きかける効果があります。これが、ビッグアートの実現に向けて皆のモチベーションが上がることにつながるのです。それでは、イノベーションを創発するために求められる具体的なプロセスを見ていきましょう。

Step 1 ― 対話や探索によりエナジネーションを高める

ビッグアートを形成する上で、源泉となるのが「エナジネーション」です。物事を始める際、このエナジネーションを高めていくことが、イノベーションの実現にとって不可欠な要素となります。

好奇心

何らかの新しいアイデアを発想する際、新しいことをしてみたい、人と違うことにチャレンジしてみたいなど、創造することに対する強い好奇心を持ち合わせることが求められます。これは、「この○○というアイデアを実現したい」という具体的な意思というよりも、「自分自身の人生の中での今までと異なること、人と異なることを行いたい」という概念的な好奇心が近いです。人間誰しもが持ち合わせる創造性を、主体的に発揮したい、ワクワクしたいという「心の状態」にしておくことが重要で、これが後続の過程において必要な創造力を発揮しやすい状態をつくることにつながります。

貢献意識

貢献したいという気持ちを持ち合わせていることも創造力を発揮するためには大切なことです。これは、所属する会社のサービスに対する愛着心や、お世話になった人々に対する恩義から、自分自身が貢献できることを探すという意識を指しますが、会社のために働くという愛社精神ではなく、もう少し個人にとって具体的なこととなります。例えば、会社が提供するサービスが子どもの頃から好きであったため、そのサービスをよりよいものにしていきたい、といった貢献意識や、自分自身を認め育ててくれた上司や同僚に対する感謝の念から、その方々に対して貢献したいという「恩返し」の意識がこれに該当します。

これらが、以降のプロセスにおいて自分自身が主体的に行動をするための後押しとなってくれます。

積極的に対話を行う

何かを創造したいという好奇心や貢献したいという意識がベースとなり、新しいアイデアを見出すための行動に移っていきます。漫然と椅子に座り、パソコンのキーボードを叩いたり、書類に目を通したり、悶々と考えたりしているだけでは、創造力は高まりません。ちなみに今回インタビューした方々で、そのような人は皆無でした。彼らは社外に出掛けていき、様々な人と対話を重ね、プライベートのネットワークも駆使してアンテナを広げる活動を行っていました。

自分自身の考えがまとまっていない状態でも構いません。まだ自分の考えを適切に言語化できる状態でなくても、「今漠然とこんなことを考えているが、まだピンときていない」と相手に伝えるだけで何かが見つかる可能性もあります。また積極的に人に話すことで、新たなアイデアの種の発見につながる確率も上がります。自分の考えや疑問を言語化して相手に説明することで、モヤモヤした疑問に自分自身で気づき、新たな問いやアイデアを発見することにもつながります。

同僚だけでなく社外の関係者や、テーマと関係がなさそうな方に対しても、発信していきます。具体的には、社内、社外の区別なく、対象のテーマに対して異なる意見を持ち同質化していない人々と対話を行うということです。このとき、社内外のネットワーキングを通じて、自分の考えと異なる人を対話の相手として選ぶことが大事です。

これらの対話を通じて、課題に関連のある事例や向かうべき方向性を教えてもらうことで、新たな視点や俯瞰的な示唆を持つ機会が増えています。その際、新たな問いを得るためのヒントとなるアドバイスをいただくこともあるでしょう。このテーマは未来があるのではないか、とポジティブに考えるきっかけにつながる可能性もあります。それにより、助言してもらった人に対する感謝の気持ちも高まり、事業創造への意識が醸成され、内発性動機が形成されていくのです。

一次情報を収集する

様々な現場に赴いて課題となる事象を確認し、リーダー自らが探索活動を行う必要もあります。この探索とは、新たな発見が得られそうな場所に赴き、情報収集を行うことを指します。新店舗や営業現場に赴いて製品やサービスを視察したり、街中で道行く人を観察することで、新たな発見につながる情報を得ることができます。またここでは、生の事象の把握「一次情報の収集」に努めることがポイントです。別の人がまとめた二次情報は、生の事象が加工され表現時に丸められている可能性が高く、本来得たい情報に気づくことができない場合があるため、できる限り一次情報に当たります。

一次情報に当たることで、アイデアを生みだすために必要な、多くの人が見落としていた新たな問いを発見することができます。また、その問いに対して向き合うことでアイデアに関わる洞察を得るのです。対象とするテーマと関連性が高い場所だけでなく、一見関連性が低そうな場所にも足を運ぶことにより新たな発見を得られます。このように、探究する物事との関連性の高低にかかわらず、積極的に様々な場所を訪れることをお勧めします。

ここで、リーダー自ら身体と頭を使って観察し、自分自身で思考を巡らせ、新しい発見を得るという過程を通して、創造力が醸成されていく重要性がおわかりいただけたでしょうか。仮説を検証するために必要な情報を集め、様々な検証を繰り返し、仮説が覆されるような経験を体験することで、その延長線上に、必要とする情報が次々と表面化してアイデアの種が生まれるのです。

このようにして素晴らしいアイデアを見つけたときだけでなく、疑問が解消されたときも含めて、自分自身で発見する、思考するという一連の行動を通じて、好奇心が刺激され、創造力が高まっていきます。

新しい気づきを得たことにより、もっと自分自身で行ってみたい、もっと思考を深めてみたいという気持ちがさらに高まり、主体的かつ創造的にプロジェクトに取り組む意欲が増していくのです。

活用するアートのスキルとそのポイント①

イノベーションの起点となるステップ1のプロセスは、エナジネーションそのものであり、それを高めるために必須となる身体的行動は、対話と探索となります。自分自身で現場に赴き、新しいアイデアを見つけるために必要な検証を行うことにより、見立てを変えるためのきっかけを掴むことが可能となるためです。さらに思考し新しい気づきを得ることで、人間誰しもが持つ創造力を開放する内発性が醸成されていきます。

ちなみに、身体と頭を使って動き回り、会得する身体知がどれほど多く蓄積されているかにより、新しいアイデアの発想の量と質も決まってきます。その源泉となるのは、何か新しいものを創造したいという好奇心やお世話になった人に対する貢献意識ですが、そのような気持ちがすべての行動のきっかけとなるのです。これがアイデアを生みだす上で、求められるリーダーの素養となります。

このプロセスは、個人の主観をベースにビッグアートを形成する際に必要となる「内発的動機づけ」に値し、エナジネーションを高めるきっかけともなるのです。

Step 2 ― バイアスから逃れ、新しい価値観をもたらすアイデアを発想する

ステップ1のプロセスでご紹介した対話や探索を積極的に行うことにより、創造力が高まり、既存の価値観を壊すようなアイデアを導く糸口が見つかります。既存の価値観とは、対象とする市場や自社で当たり前とされている商習慣のような「常識」であり、関係者が共通して持つ判断軸を指します。

「常識」は、企業や業界の歴史の長さに比例し根深く存在します。狭い世界において当然とみなされてきた価値観のため、それに沿って物事を思考するほうが成功する確率が高いとされています。そのため暗黙知化されやすく、その危うさに誰も気づくことができない傾向にあります。

暗黙知化された切り口を発見する

その常識とされることに対して見立てを変えるための新たな切り口を発見するのが、この工程となります。それは椅子に座って思考を深めるだけで発見できるものではありません。前工

程でリーダー自ら身体を使って対話や探索を行い、新たな洞察を得ようとすることで、ようやく暗黙知化された要素を発見できるのです。そのためには、これまで得た経験や知識に固執しないという決意をもって身体的な行動を起こすことで、初めてバイアスから逃れる第一歩を踏み出せます。

具体的には、ステップ1によって発見された具体の事象を基に、一度それを概念として抽象化させる必要があります。

プロジェクトで創りたい世界とは何か、どのようなものか、を自分自身に対して問いかけることにより、本来の目的に戻ることができます。これにより、それを実現するアイデアは一つとは限らないこと、そこに経験則に引きずられた「常識」が存在していたことに気づきます。そのような過程で発見した「常識」から、それらと相反する価値観を導き出すための「切り口」を言語化していくのです。

これらは概念的でわかりにくい工程のため、実例を基に補足していきたいと思います。

素材、住宅メーカーとして有名な旭化成は、グーグルマップなどの歩行者ナビゲーション（歩行者ナビ）の中核技術を開発しました。当時、責任者として技術開発に携わりチームをリードした実績を持つのが、山下昌哉氏（以下、山下氏）です。山下氏はスマートフォン上で電子的に方角を検知するコンパスの技術を開発し、製品・サービス化まで行いました。Android

SmartPhoneやiPhoneにもこの技術が搭載され、現在の生活では欠かすことができないものとなっています。

歩行者ナビの仕組みは、方位磁石をイメージするとわかりやすいです。まず方角を検知するための磁気センサが必要となります。研究の初期段階では、微弱な地磁気を検知するために、新しい高感度の磁気センサの開発が必要であるという意見が社内の大半を占めていました。その一方、山下氏は過去の経験から「旭化成で量産する低感度磁気センサのホール素子でも、地磁気は検知可能なため、新しい高感度の磁気センサの開発は止めたほうがよい」と考えていました。高感度の磁気センサは、弱い磁気を大きな信号に増幅できる半面、強い磁気を受けると信号が大きくなりすぎて、スピーカーなど、地磁気よりもはるかに強い磁石の近くに配置されると信号が飽和して動かなくなるためです。また、鉄骨建築が並ぶ市街地では、地磁気が歪んで正しい方角を示さないため、高感度・高精度を追求することは無理があると、山下氏は考えました。

それを証明するため、山下氏は方位磁石を購入し、約2カ月間にわたり各地の市街地に赴き、地磁気の方角がどの程度正しいかを測定したのです。その過程で「市街地においては地磁気の方向に乱れがあるため正確ではないが、大体の向きであればわかる。実現したいことが道案内であれば、正確な方角は必要ない。ユーザーが道を間違えない程度に、大体の向きを示すこと

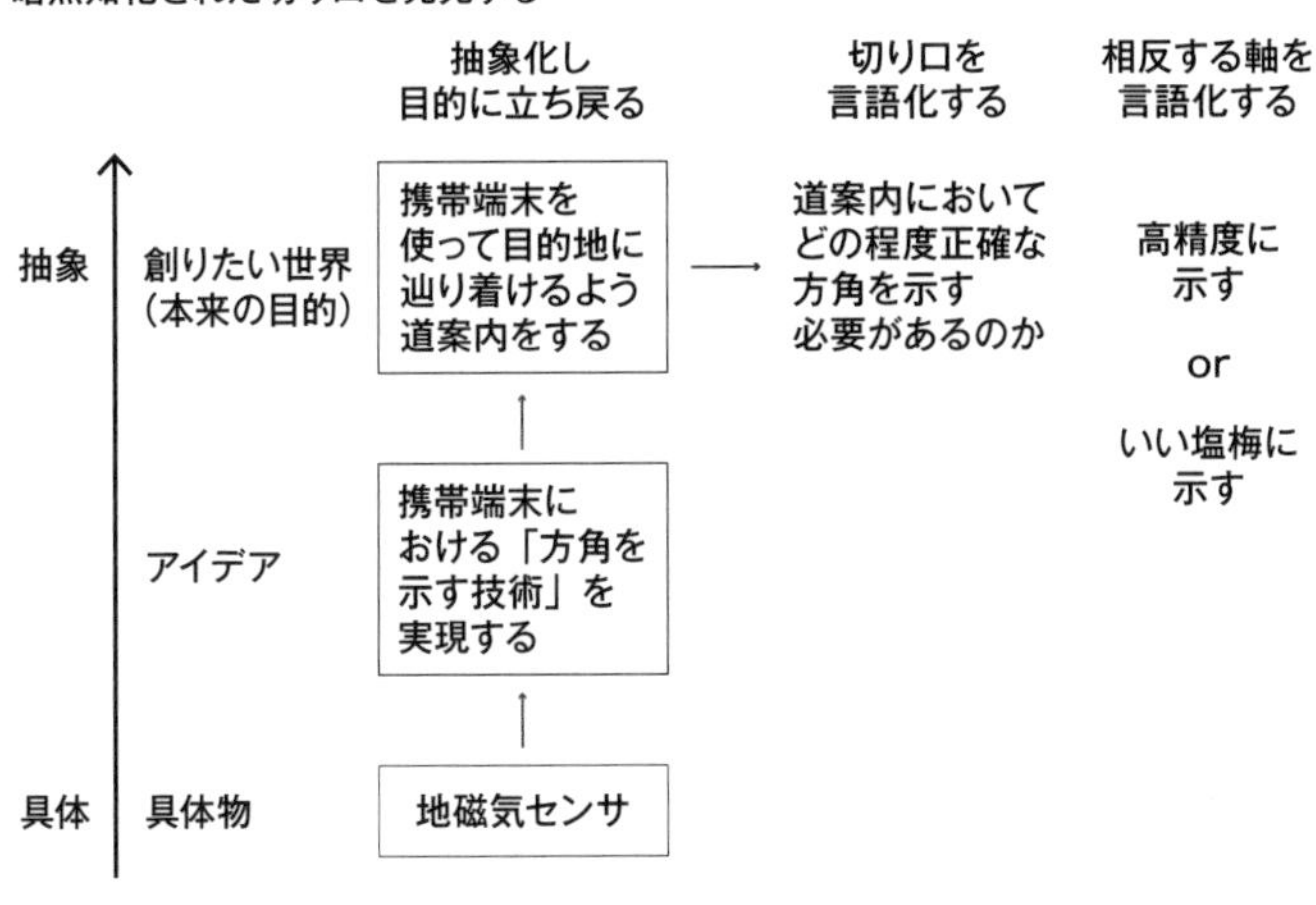

ができれば十分である」ということに気づいたのです。

つまり、山下氏が新しく見つけた「切り口」は「道案内においてどの程度正確な方角を示す必要があるのか」ということでした。「高感度センサを使って弱い地磁気を正確に測り、高精度に方角を示す」ほうが価値は高いという「常識」を捨て、「目的地までの道案内を誰でもいつでも簡単に使うことができる」ほうが価値は高いとして、自らの認識を修正したのです。

その結果、「道案内は、間違った道を選択しない程度の〝いい塩梅〟な方角を示せば十分であり、高精度な方角を示す必要はない」という新しい価値観が生まれました。したがってセンサも高感度である必要はなく、むしろ使いやすさに価値を求めるほうがよいという結論に至ったのです。このようにして、これまでの価値観を破壊する「いい塩梅」という新しい価値観を提案することとしました。これは電子部品の研究開発を続ける技術者にとっても、販売を行う企業にとっても、非常に斬新かつユニークな視点であったと言えます。

さらに、自分自身の身体的行動を通して新たな視点を発見したことにより、山下氏は「この技術の開発とビジネスの立ち上げを自分自身でやろうと思った」と語りました。「技術者が100人いると、99人は高精度の測定に価値を見出そうとするでしょう。でも新しい価値観で製品を開発しようとする残り1人の存在が、自分であれば面白いと思うのです」というように山下氏のエナジネーションもこのプロジェクトの中で醸成されていったのです。

価値観を構造化する

革新的な効果を生む「切り口」を発見した後、この「切り口」を用いて既存の価値観の構造化を行っていきます。この「切り口」が明確になれば、価値観の構造化自体は簡単です。ここでは、その「切り口」から明らかになった「常識」に対して、相反する新しい価値観を言語化していきます。つまりその軸を活用することで、既存の価値観と新しい価値観の位置付けが可視化されるのです。

まず携帯電話の例を使って、具体的に説明していきます。携帯電話の再発明とも言われたiPhoneですが、当初から「どのような場所でもPC並みに様々なサービスを楽しむことができる」ことを目的として、手のひらサイズのモバイルPCの実現を目指していました。携帯メーカーや通信キャリアごとに用意された既定のアプリのみを利用するのではなく、あらゆる技術者やクリエイターがアプリを開発し提供できる環境を用意することで、様々なアプリを手のひらサイズの端末で使えるようにしたのです。そのため、アプリなどのソフトはハードの制約を受けずに開発されなければなりません。最適なボタン配置は、アプリの種類により異なりますが、製品にボタンが固定されている限り、アプリの内容に関して自由に発想することはできません。「よりよいアイデアが浮かんだとしても、ボタンが制約要因となってしまう」。このことを解決しなければならないと考え、誰もが生まれながらに持つ最高のデバイスは指であると再定義することで、ボタンをすべて取り払い画面を大きくするという選択をとったのです。

つまり、「PCにおけるアプリケーションのように様々な人が提供するアプリを体験することができるかⓐ」「アプリなどがハードの制約を受けないようにできるかⓑ」という2つの鋭い切り口を発見したことになります。

次ページの図で示すⓐとⓑの2つの切り口が明らかになれば、その2つを軸として取ることで、4つの象限においてそれぞれの価値観を構造化して可視化することができます（193ペ

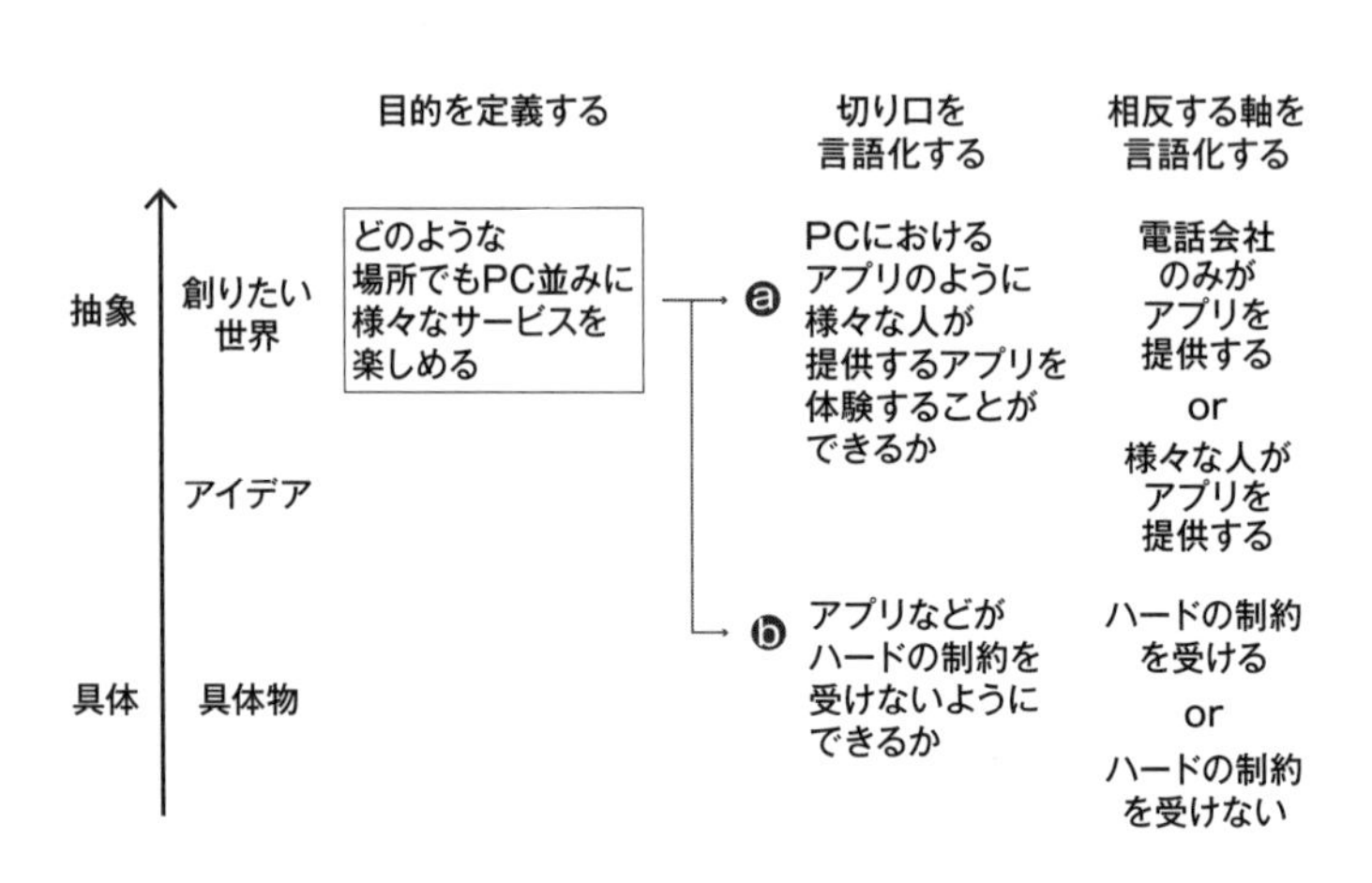

ージの図）。今回の例では、左上の象限に既存の価値観がプロットされます。それを代表する例として「ガラケー（ガラパゴスケータイ）」と記載しています。その上で、既存の価値観を壊すアイデアを考えるために、それと相対する象限に新しい価値観がプロットされると考えることができます。新しい価値観をもたらすアイデアを発想したことにより、「画面ディスプレイで操作を行う」という結論に至り、それにより「手のひらサイズでPC並みのサービスを体験できる」画期的な発明があり、それらを体現した製品として「iPhone」が生みだされたのです。

このように既存の価値観を可視化することで、バイアスとなっている事象を高解像度で理解できるようになりました。そうすること

既存の価値観を構造化する

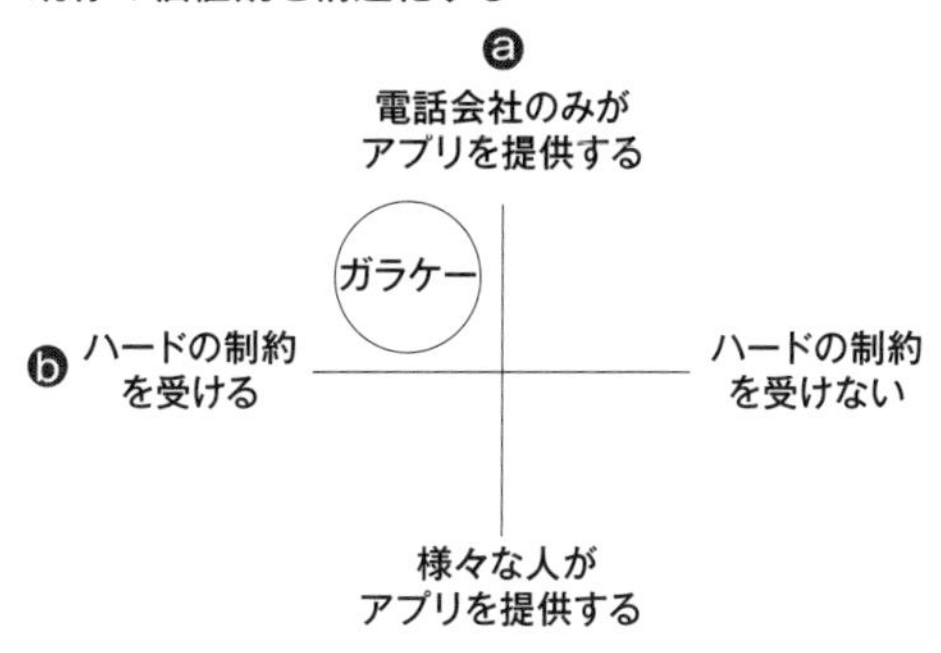

バイアスを認知し破壊する

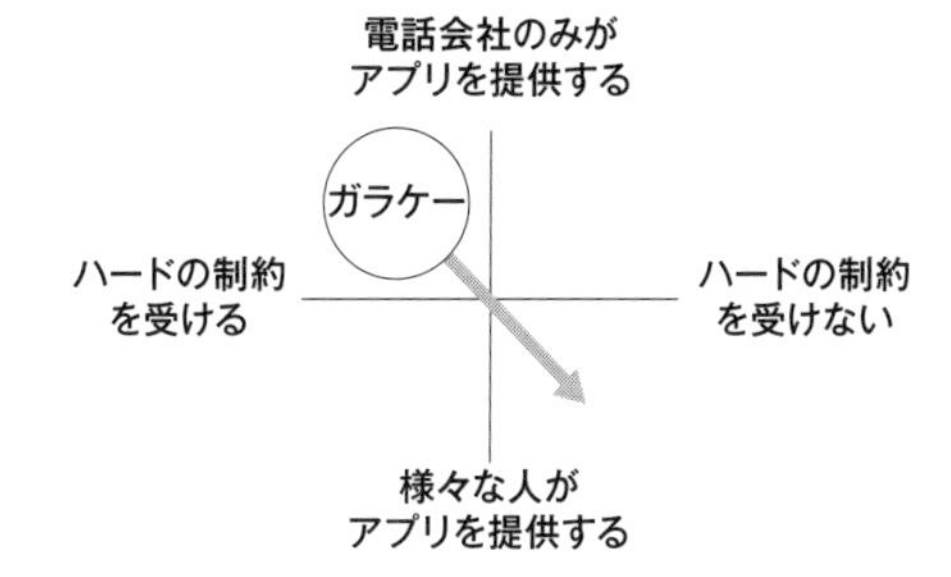

新しい価値観をもたらすアイデアを発想する

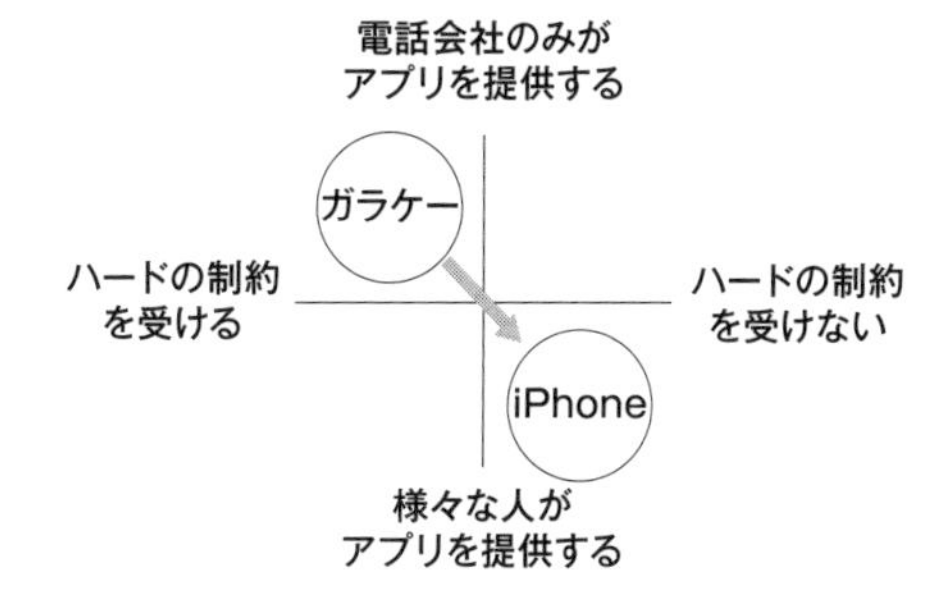

で、新しい価値観をもたらすアイデアを発想するという後続のプロセスの整理に役立てることができたのです。

新しい価値観をもたらすアイデアを発想する

既存の価値観を構造化した上で、それに逆らうことで新しい価値観を発見できます。また、たとえ新しい価値観を捉えられたとしても、それに呼応するアイデアを発想することは容易ではありません。エナジネーションのポイントでも触れましたが、新たなアイデアを見つけるためには、これまでの経験や知識に固執することなく、忍耐強く思考し続ける必要があります。

前述の旭化成の山下氏は、「〝いい塩梅〟を実現する技術を探し出すために、幾度となく新たな発想を生みだすことが求められました。一番のネックとなる問題を解決するために、数多くの検証を2年近く行い、忍耐強く思考し続けたのです」と語っています。このような努力の末、新しいアイデアを発想するに至ったのですが、その出来事について山下氏は「5秒くらいの間に、それまで残っていたすべての問題点が連鎖的に解決していった」と振り返ります。その後、その発明を特許出願したことにより、その後の旭化成のビジネスに山下氏の技術が大きく貢献することとなりました。

山下氏のようにこれまでの経験則を基に検証を行いながらも、経験則に固執しないという強い決意、さらに行動し思考し続けるための耐久力を持つことにより、技術者が持つ「常識」の中に存在するバイアスを破壊することができるようになるのです。

トリハダ美を感じるアイデアにするためには

新しい価値観をもたらすアイデアは、後続のステップ３「三方の心を揺さぶるトリハダ美を発見する」工程において、トリハダ美を感じるかどうかで採用可否の判断がなされます。ここで押さえておくべき点がありますのでお伝えしたいと思います。

これまで「常識」とされている点を明らかにするために、具体で捉える事象を抽象化させ、本来の目的に戻る必要があるということを、先ほどお伝えしました。トリハダ美を感じるアイデアにするためには、本来の目的の「創りたい世界」である「トリハダ美で心揺さぶられる範囲」をいかに捉えることができるか、またそのために抽象レベルの見立てを変えることができるかが、カギを握ります。

音楽市場で起きたイノベーションの事例を用いて、トリハダ美を感じるアイデアを生みだすポイントについて補足したいと思います。

２００３年、アップルが音楽管理ソフト iTunes を提供したことにより音楽のデジタル流通革命が起こりました。レコードやＣＤを販売することで成り立っていた音楽業界のビジネスモデルは、アップルの音楽配信サービスiTunes Music Storeの出現によって、一気にデジタル配信モデルに切り替わったのです。これは単に、音楽配信サービスのプラットフォームという「箱」が市場に投下されたということだけではありません。同じタイミングでヒットチャートに入っている新譜が、ほぼすべて揃えられた状態で一気に市場へと展開されていきました。

その結果、顧客は店舗へ足を運んだり、店内で欲しい楽曲を探すために街中を歩き回らなくてもよくなりました。購入のボタンをワンクリックするだけで、数秒でダウンロードが終了する。自分の好きな曲を選んでライブラリを整理することができる。ライブラリと同期することにより、iPodで音楽を自由に持ち運ぶことができる。さらに音楽を聴く空間を好きなようにつくることができる、といったような全く新しい体験が提供されたのです。

これは私たちのバイアスを壊した好事例です。少し遡ってこれを整理していきましょう。従来、音楽の楽しみ方の価値観の軸は「高い音質で、定められた空間で曲を楽しむ」というものでした。次に、「自分の好きな曲を取り寄せて、音楽を聴く空間を自由に選べるように曲を持ち運ぶ」という新しい価値観の軸が生まれました。これは好きな曲が入っているCDなどを購入して曲を楽しみ、さらにそこから持ち運びたい曲を選んでソニーのウォークマンに代表されるようなムーバブルデバイスに入れて持ち運ぶ、という体験です。

それに対して、これまで暗黙知化されていた、「自分の好きな曲を手軽に取り寄せ、持ち運ぶ曲を選ばずに、いつでもどこでも曲を楽しめるか」という切り口を発見したことにより、次の新しい価値観の提供へとつながりました。それは好きな曲をiTunesに入れておくことで、いつでもどこでもiPodで曲を聴くことができるというものです。

これまで多くの人たちが持つ価値観は「曲を持ち運びたいときは曲を選んでムーバブルデバイスに入れる」というものでした。それに対して「好きな曲のライブラリが、家でもムーバブルデバイスでも同期されている」という新しい価値観をもたらすアイデアが生みだされたのです。

さらに、音楽市場を席巻したアップルを脅かしたのが、スポティファイ・テクノロジーでした。今や世界最大の音楽ストリーミングサービスに成長したSpotify（スポティファイ）ですが、その特徴は、ダウンロードではなくストリーミングサービスにより新しいビジネスモデルを成り立たせた点にあります。例えばJ-Pop Hitsのプレイリストを聴き始めると、日本で人気のある曲が次々と流れてきて、新しい曲との出会いが生まれるという体験を味わうことができます。「好きな曲を1曲ずつ購入して自分自身でライブラリを作る」というこれまでの価値観から、「好きな曲を1曲ずつ選ばなくても、新たなジャンルの曲に次々と出会い、それらを楽しむことができる」という価値観へとシフトしました。新しい曲との出会いという暗黙知化された切り口を発見することで「プレイリストを再生することで、いつでも新曲と出会うことができ、新曲のデータも更新される」という、新しい価値観のアイデアがもたらされたのです。

Spotifyの出現以前には、作り手が持つ価値観としても、「1曲購入してもらうことによりレコード会社や作曲家たちに1曲分の収入が入る」というバイアスが「常識」として存在していました。購入数がベースとなる収益モデルに引きずられてしまうと、「好きな曲を1曲ずつ選ばなくてもいい」という価値観やそれらを実現するために必要とされるアイデアは生まれません。まずこれらが経験則に引きずられたバイアスであるということを認識し、それらを壊すことで、購入をベースにした料金体系ではなく、サブスクリプションサービスの料金に対するレベニューシェアや、再生数による収益の分配などといった新しいビジネスの考え方が生まれたのです。

このように、どの時代においても音楽の楽しみ方に対する見立てを変え、サービスを提供する目的を高いレベルまで洗練させることにより、トリハダ美で人々の心が揺さぶられるアイデアを提案することが可能となります。

なお、ステップ1や2で紹介した一連のプロセスは、便宜上順番通りに記載していますが、必ずしもこの順番に従う必要はありません。前工程の「対話や探索によりエナジネーションを高める」プロセスにおいて、最後の「新しい価値観をもたらすアイデアの種の発見」が実現さ

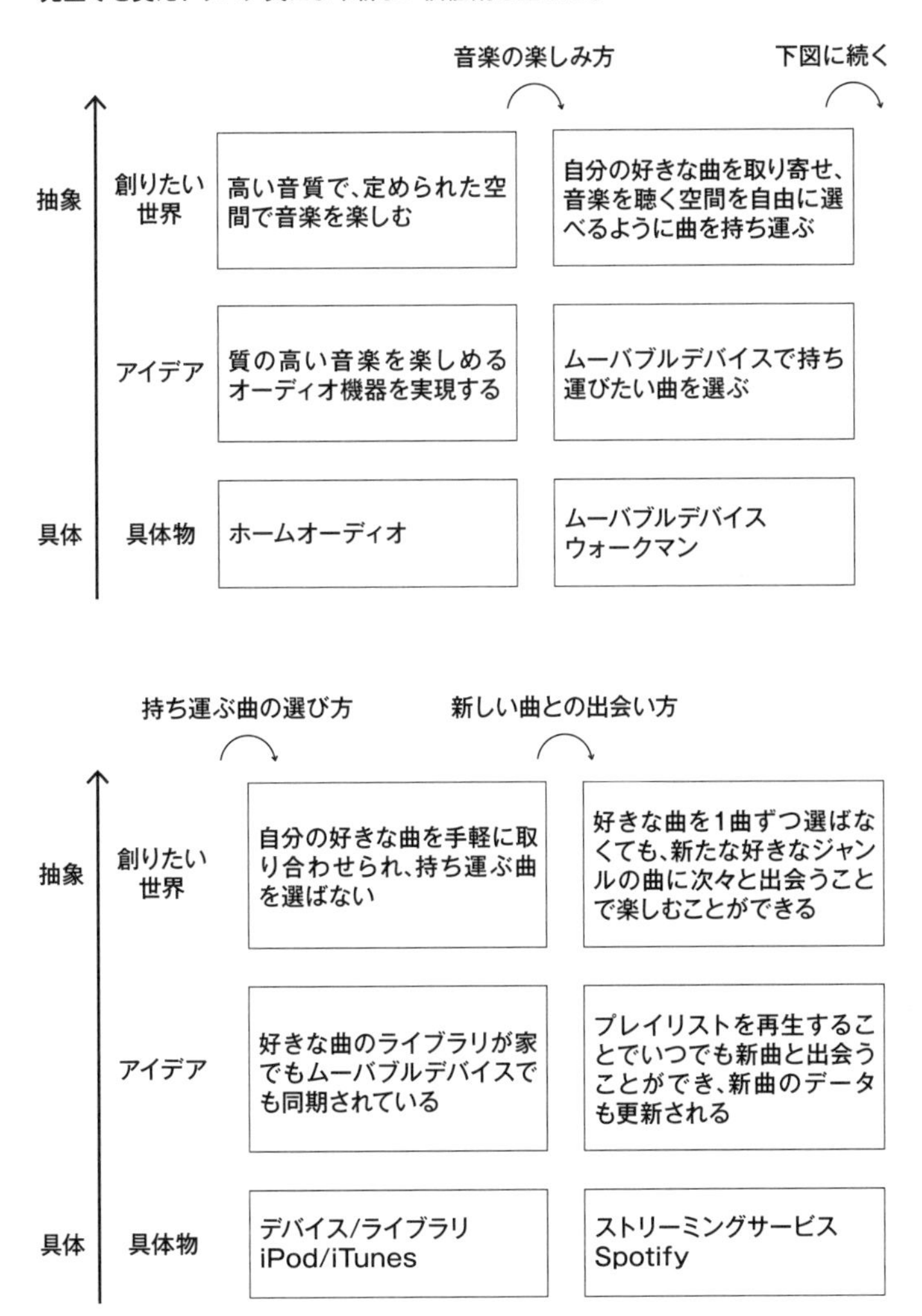
見立てを変えトリハダ美により新しい価値観を生みだす
音楽の楽しみ方
下図に続く
抽象
具体
創りたい世界
アイデア
具体物
高い音質で、定められた空間で音楽を楽しむ
質の高い音楽を楽しめるオーディオ機器を実現する
ホームオーディオ
自分の好きな曲を取り寄せ、音楽を聴く空間を自由に選べるように曲を持ち運ぶ
ムーバブルデバイスで持ち運びたい曲を選ぶ
ムーバブルデバイス
ウォークマン
持ち運ぶ曲の選び方
新しい曲との出会い方
抽象
具体
創りたい世界
アイデア
具体物
自分の好きな曲を手軽に取り合わせられ、持ち運ぶ曲を選ばない
好きな曲のライブラリが家でもムーバブルデバイスでも同期されている
デバイス/ライブラリ
iPod/iTunes
好きな曲を1曲ずつ選ばなくても、新たな好きなジャンルの曲に次々と出会うことで楽しむことができる
プレイリストを再生することでいつでも新曲と出会うことができ、新曲のデータも更新される
ストリーミングサービス
Spotify

新しい価値観をもたらすアイデアを発想する

音楽の楽しみ方

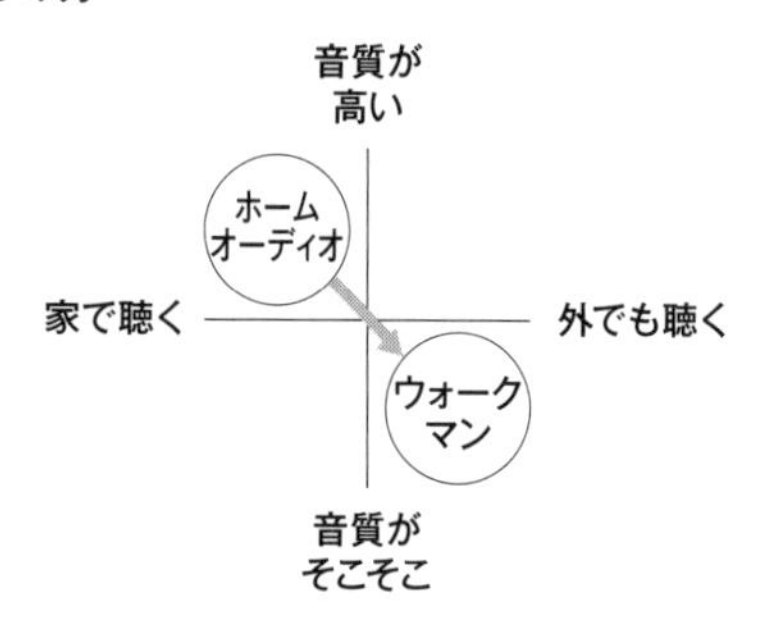

持ち運ぶ曲の選び方

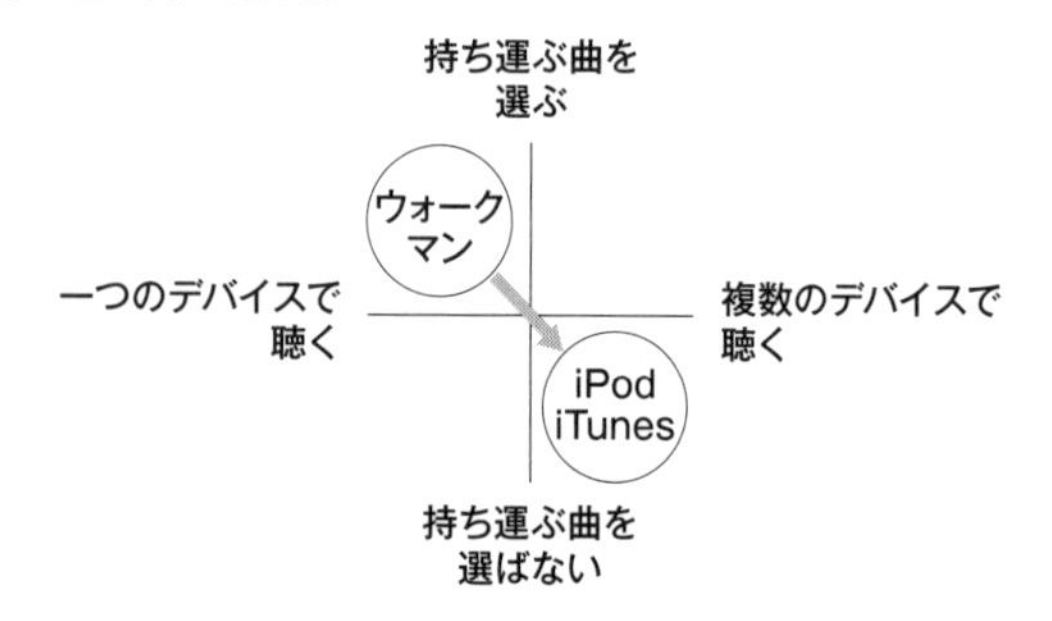

新しい曲との出会い方

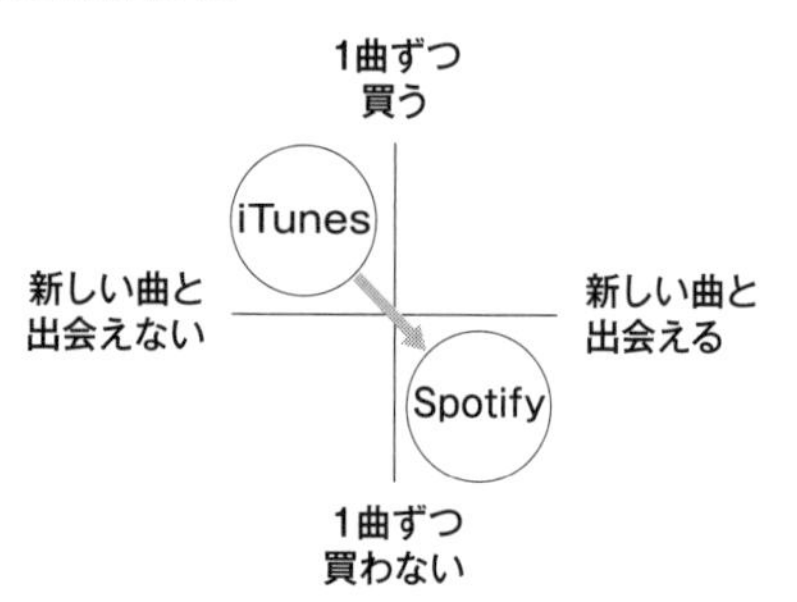

れる場合もあります。新しい価値観をもたらすアイデアの種が先に見つけ出されることにより、既存の価値観に潜むバイアスに気づき、価値観の構造化に至るというケースもあるのです。

活用するアートのスキルとそのポイント②

エナジネーションにおいては、バイアスから脱却することができるかどうかがカギを握ります。新たなアイデアを打ち出すためには、あらゆる経験や知識を総動員して、仮説を検証する必要があります。そのように自分自身の経験や知識を徹底的に活用するだけでなく、それまでのビジネスで得た経験や知識により生じたバイアスから脱却することが肝要となります。特に、新規事業を任されるようなリーダーの方々は、多くの成功体験をお持ちです。しかしながら、バイアスからの脱却には、それらの成功体験や蓄積してきた専門性の高い知識に固執しないという強い意志が求められるのです。

さらに、瞬発的な思考だけでは新しい価値観をもたらすようなアイデアは生まれません。新しいアイデアを発想するべく忍耐強く取り組む行為には、かなりのエネルギーが必要となるため、エナジネーションと命名した所以でもあります。その結果、新しいアイデアが見つかると、主体性や創造力をさらに高めることにもつながるのです。

なお、推論を行ってアイデアを出す際、ビジネスにおいては、これまでの「常識」とみなされている価値観に着目することが重要です。その価値観を壊すためにも、本来の目的に戻り、「創りたい世界」という抽象的なレベルにおいて発想することがイノベーションの創発ではポイントとなります。それに対して見立てを変えることにより、トリハダ美で心が揺さぶられるような新しい価値観を導くことができるようになるのです。

Step 3 ｜三方の心を揺さぶるトリハダ美を発見する

新しい価値観に値するアイデアを打ち出す際、そのアイデアがトリハダ美で心揺さぶる範囲に収まっているかどうかを判断する必要があります。そもそもの目的である自分自身にとっての「創りたい世界」についてもトリハダ美で善し悪しを判断します。トリハダ美であるかどうかの判断は、深く思考して行うというよりも、鳥肌が立つほど魅力的に感じるかどうかです。導き出したアイデアが、鳥肌が立つほどの美しさを感じない場合、必要に応じて修正を加え、時にはそれらを捨てることにより、トリハダ美の範囲に入るよう導き出したアイデアを研ぎ澄ませていきます。

トリハダ美の芯（スィートスポット）について

美のベルカーブの芯については「意義」で説明がつくということを、第3章で述べました。まずは、生みだされたアイデアや創りたい世界が自分自身にとって「意義」があるものでなければなりません。その上で、人々の価値観を変えるようなイノベーションを起こすためには、それらが、同じ時代を生きる一種の共同体である、会社の同僚や上司、そして顧客にとってそれぞれ「意義」を感じられるものでなければなりません。つまり、既存の概念にとらわれることなく、同僚や顧客との共通の意味と目的を持ち、周囲の人々に対して新たな発想や価値観を提案することにより、新しい市場を生みだしていくことが求められるのです。

このように、自分自身、自社、顧客の三方にとってのトリハダ美により、それぞれの心が揺さぶられる範囲となっているかどうかを、これまでの人生の文脈で培った美で判断する必要があります。つまり三方にとって心が揺さぶられる範囲の芯（スィートスポット）となる「意義」を見つける必要があるのです。それぞれにとってのトリハダ美とは、以下のようになります。

1. **自分にとって扱いやすいものでありながらも、新しい挑戦となり、個人的な意義がある範囲**
2. **自社にとって既存の提供価値の延長線上にありながらも、新しい価値の提供となる、事業として行う意義がある範囲**

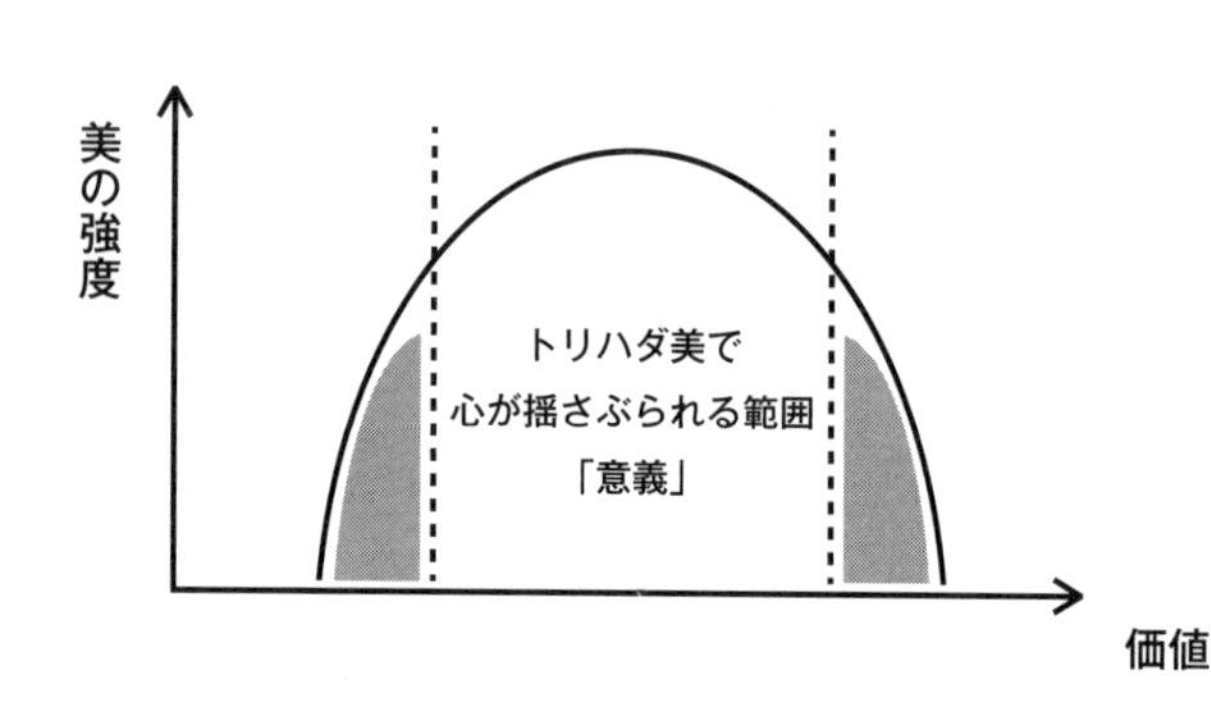

自身	扱いやすい	――	新しい挑戦
自社	既存の提供価値	――	新しい価値の提供
顧客	体験の地続き感	――	体験の新しさ

3. 顧客にとって体験の地続きを感じさせながらも、新しさを感じさせる範囲

自分自身にとってのトリハダ美

創りたい世界とそれを実現するアイデアが自分自身にとって、個人的な意義を感じるものでなければなりません。それが、自分自身にとってのトリハダ美となります。

その個人的な意義を感じることができるスイートスポット、つまり「美のベルカーブの芯」は、生みだされたアイデアが〝現実的すぎず〟、かつ〝挑戦的すぎない〟範囲であることが求められます。自分自身の経験を駆使することでなんとか扱えるのではないかと感じられるアイデアであり、新しい挑戦に値する取り組みとして取り組むべき意義を感じられるアイデアである、ということです。あまりにも新しすぎる挑戦的な内容であると、自分自身の範疇を超えてしまい、心が揺さぶられることはなくなります。一方、簡単に扱えそうなアイデアであっても心は揺さぶられません。未来を予想することはできないものの、今の力量でなんとかできるのではないかという感覚を持つことができ、大切な時間をかけて向き合うべきものであり、取り組む意味と意義を感じられるものであるかが、自分自身にとってのトリハダ美となります。

つまり、取り組むべきアイデアというものは、人生の大切な時間を割いても行いたいか、どれほど自分自身にとって意義深いと感じられるかどうか、鳥肌が立つほどワクワクするか、などが満たされるような意義深いものでなければなりません。

自社にとってのトリハダ美

事業を創出する母体となる自社にとってのトリハダ美にも触れておきます。トップから若手社員までではなく、協業企業の関係者もトリハダ美の対象となります。実現したいアイデアを、周りの人々に説明し協力を得てプロジェクトとして進める上で、彼らをいかに巻き込むことができるかが、ビジネスを成功させるためのポイントなのです。そのためには、実現したいアイデアと創りたい世界が、自社の事業として行う意義がある範囲の領域でなければなりません。

自社にとってトリハダ美のベルカーブの芯に値する範囲は、これまで自社が提供していない新しい価値の提供につながるアイデアでありながらも、自社が提供してきた価値の延長線上にあるものとなります。これがあまりにも新しい価値を提供するアイデアだと、この会社が対象とする事業ではないのではないかという議論が生まれる危険性も生まれます。一方、これまで提供してきた価値と変わらないような保守的なアイデアであれば、簡単に実現することができるアイデアであるとしても心が揺さぶられないものとなります。

昨今では、エシカル消費などといった社会貢献活動に相当する購買行動が、社会的意義の一つとなっています。例えば米アウトドアウエア・ブランドのパタゴニアは、幅広い世代から大きな共感と支持を集めていますが、同社の取り組みの一つである「Worn Wear（新品よりもずっといい）」は、「持っているものを長く着てほしい」というものであり、そのキャンペーンとして、Worn Wear College Tourと題して「リペア車」で大学キャンパスを回っているのです。そこでは、パタゴニア製品に限らず、修理が必要な衣服を無料でリペアする、という取り組みが行われており、大量生産型で皆が同じような洋服を着るファストファッションが増える中で、オリジナルのパッチなどが縫いつけられた洋服に「自分のオリジナル」感が存在する点が、若者に広く受け入れられたと言われています。

これは、新品を買う必要はなく、持っているものを長く着続けてくれるほうがよいという考え方がパタゴニアのベースに存在するため、現に2019年に同社は企業理念を次のように刷新しています。「私たちは、故郷である地球を救うためにビジネスを営む」。さらに同社は2025年までにカーボンニュートラルを達成するということを掲げていますが、ここには社員だけでなく、仕事の関係者（ステークホルダー）にも同じ視点を持ってほしいという思いが「私たち」に込められているのです。このように、カーボンニュートラルという一見実現するのが難しそうでありながらも、企業としての社会的意義があって新たなチャレンジとも思える範囲にこそ、社員を含めたステークホルダーのトリハダ美のスィートスポットが、すっぽりとはまるというわけです。

顧客にとってのトリハダ美

イノベーションの実現には、提案した製品やサービスの受益者である顧客の心をいかに捉えることができるかが非常に重要となります。しかしながら、顧客にとってのスィートスポットを外せば、購買する人が増えず、ビジネスとしてスケールアップすることはできません。

ここでポイントとなるのが、顧客がこれまで体験してきた文脈から離れすぎず、かつ体験の連続性を感じることができるかどうかということです。これを体験の「地続き感」がある状態と私は呼んでいます。体験の地続き感がありながらも、新しさを感じられるスィートスポットにはまるアイデアであるということです。あまりにも新しさを感じる体験だと、これまでのサービスと大きく異なるために、理解が追いついていきません。すると、それらを楽しむことができず、心も揺さぶられることがないという結論を迎えることとなります。

一方、これまで利用してきたものとあまり変わらない体験であった場合も、心が揺さぶられることはありません。

玩具メーカーの任天堂は、家族で楽しめるゲーム機Wii（ウィー）などで多くの顧客を魅了してきました。その当時の企画開発責任者であった玉樹真一郎氏（以下、玉樹氏）は、Wiiのような新しいゲーム機の企画を検討する際に、顧客にとっての体験の地続き感を非常に大切にしてきたと言います。

「任天堂のファミリーコンピュータの頃から、『Aボタンには肯定の意味』があり『Bボタンには否定の意味』があるという、これまでの文脈を引き継いで、ゲーム機の制作を行っています。ゲームの進行を進める際、Aボタンを押せばいいというのは、ゲームを楽しむ人にとって身に染みついた感覚です。顧客が感覚として持つノウハウのようなものに作り手である我々は寄り添わないといけない。ただ、完全に同じものを作ってしまうとうまくいかないということもわかっている」

つまり、家庭用ゲーム機として旋風を巻き起こしたファミリーコンピュータが市場に認知されたことにより、ボタンの概念が顧客に染み渡ったのです。それは、Ａボタンには『進む』等の肯定という価値観があり、Ｂボタンには『戻る』等の否定する価値観があるということが、人々に受け入れられたということを意味します。

そのような顧客に対して、イノベーションを起こしたいという理由だけで、新しいボタンの概念に完全に置き換えてしまうと使い方がわからず、顧客は戸惑うでしょう。その結果、多くの顧客には受け入れられず、ニッチな顧客向けのゲームとして終わってしまいます。そのため、Ｗｉｉのリモコンには新しい機能を搭載しながらも、Ａボタンは『進む』、Ｂボタンは『戻る』という、すでに出来上がった文脈は尊重するというアイデアが採用されたのです。

このようにイノベーションを起こす際、生みだしたアイデアが、顧客にとって自然に受け入れられるものであることが重要なのです。体験の地続き感が存在する範囲でありながらも、新しさを感じさせるアイデアであり、それを使うことで価値を感じるものが、顧客にとってのトリハダ美で心が揺さぶられる範囲としてあるべきなのです。これが、顧客にとっての感動につながり、それが多くの方にとって魅力的なものであるとみなされると、一気にサービスが広まっていきます。

次に顧客にとってのトリハダ美のスィートスポットにはまる製品を創りだし、成功している事例として、GoPro（ゴープロ）を紹介します。

GoProはスキー、スノーボードやサーフィンといったスポーツで用いるアクションカメラです。今や臨場感のある絵や動画を撮りたい場合は、GoProを使った撮影が当たり前となっています。

このアイデアのきっかけは、創業者自身の経験からくるものでした。2002年に創業者兼CEOのニック・ウッドマンが、オーストラリアでサーフィンを楽しんでいたときのことです。当時、自分自身のサーフィン姿を撮影してもらおうと仲間に依頼していましたが、カメラの性能はよかったものの撮影者との距離が遠かったため、望むような動画を撮ることができませんでした。その経験から、自分の視点で撮影ができて、カメラやカメラマンの存在を感じさせない「見えないカメラ（invisible camera）」を作るのはどうか、というアイデアを思いついたのです。それがきっかけとなり、GoProの初期モデルが出来上がったと言われています。

これまでのカメラと同様、自分が撮りたい方向にレンズを向けてボタンを押すという意味では、従来の体験との地続き感があります。一方、GoProはまさに新しい価値観の提案となるものでした。客観的に被写体を捉えて撮影するという体験を再定義し、被写体自身が主体的に撮影するという新しい価値観を提案したのです。それにより、動画を観る側も、カメラの存在を意識することなく臨場感溢れる画を楽しむことができるようになりました。

さらに、GoProが市場において認知を広げ、アクションカメラとして確固たる地位を確立することができたのは、もう一つの理由が存在したためです。

YouTubeの登場です。誰でも簡単に動画をアップロードすることができるプラットフォームが出現したことにより、自分自身が撮影した動画をYouTubeにアップするという体験が広がったのです。例えばGoProをサーフボードに装着し録画をしながら波乗りを行う。その録画した映像に簡単な編集を加えてYouTubeにアップロードするという一連の体験です。このようにGoProの登場は、世の中の大きな流れとも合致していたのです。

その動画を観た人々が、アップされた動画だけでなく、そのような撮影ができるGoProにも心を揺さぶられたことで、GoProに対する認知や購買が一気に加速したのです。まさに、世に投入したGoProというアクションカメラのアイデアは、顧客のトリハダ美にピッタリとはまり、大きな市場を獲得することとなりました。

このように、リーダー自身がそれまでの人生の中で培ってきた感覚により、トリハダ美のスイートスポットを発見しているのが特徴です。プロジェクトを立ち上げた後、直接顧客にニーズを聞いてアイデアを形づくるのではなく、何らかのテーマに向き合ったときに、それまでの人生で培ったトリハダ美の感覚を偶発的に思い出すことで、トリハダ美を備えたアイデアに辿り着くことができるのです。

活用するアートのスキルとそのポイント③

創りたい世界とそれを実現するアイデアは、リーダー個人の主観による「美」の感性により形成されます。しかし、リーダーの独りよがりではなく、共同体にとっても意義のあるアイデアとする工程が、ステップ3のプロセスです。「美」の感性、つまり「トリハダ美」は、個人と共同体との間で共通となる目的や意味を持つための「接着剤」となります。ビジネスにおいて重視すべき共同体としては、事業母体である自社の社員とサービスを享受する顧客がそれに該当します。彼らにとっての「意義」とは、既存の価値の延長線上でありながらも、それが新しい価値の提案に値する領域であるということです。

そのため、創りたい世界とそれを実現するアイデアを魅力的なものにする過程において、それらが自分自身だけでなく自社、顧客の「三方の心」を揺さぶるトリハダ美が必要であり、さらにそれらが適切な範囲のアイデアに収まっているということが条件となります。これら3つのどれが欠けてもうまくいきません。

このとき、このトリハダ美で心が揺さぶられる範囲を発見するためには、プロジェクトが始まる前からの〝心掛け〟が重要となります。先ほど、「人生で培ったトリハダ美の感覚を偶発的に思い出す」と述べましたが、これは必然で、一般的にはセレンディピティ（Serendipity）という言葉により表現されます。これは「偶然の産物」「幸運な偶然を手に入れる力」を意味するものです。このセレンディピティは、アイデアを発想する過程において欠かせないものであるばかりか、ノーベル賞の受賞者や芸術家のインタビューなどでも時折出てくる言葉であり、これにより創造的なアイデアが生まれる源であることが示唆されます。

したがって、新規事業のプロジェクトを立ち上げる前から、日々、人々は何を面白がるのか、何に対して心を動かされるのかという、「トリハダ美」の感覚を研いておく必要があります。そして蓄えたトリハダ美の引き出しから、偶発的に見つかる主体的な力も培っておくのです。

Step 4 ― 現場でリーダーがタンジブル化に携わることによりトリハダ美の強度をあげる

次に、構想したアイデアを具体的な製品やサービスに仕立て、市場に投入するための準備を行うことについて、言及しておきます。

オペレーションを具体化する

まずは、構想レベルのアイデアを早期に具体化していきます。顧客にとってどのような体験になるのか、そのアイデアが顧客にとってどのような新しい価値に値するものであるのか、それが作り手にとってビジネス面において妥当な業務プロセスやオペレーションであるかを検討します。

一般的に製品やサービスを提供するオペレーションは、顧客に見える範囲（フロントステージ）と見えない範囲（バックステージ）に分かれます。このとき、フロントステージ側もバックステージ側も意識しながら、それぞれが分断されないように、サービス設計や業務設計を行っていく必要があります。

サービスの運営を開始した際に、どの部署、どの会社がどのようなオペレーションを行うかについても考えるのです。

オペレーションを具体化する過程において、実在しないサービスに対して、まずどれだけ想像力を巡らすことができるかがポイントになります。その際、自分自身の経験をフル活用するだけでなく、専門家との対話も重ねていくのです。このように積極的な対話を通して、実際のオペレーションを可能な限り現実的なやり方に近づけていきます。難易度の高いオペレーションだけでなく、実行するのが不可能と思われるオペレーションが見つかることで、早期にアイデアを修正できるようになります。

また、具体的なオペレーションをイメージすることができていると、実現性の有無をあらかじめ確かめることができるため、ビジネスモデルの具体化、コスト構造の明確化だけでなく、事業収益性を見極めることが容易となります。

実サービスの構築を行う

次に、最終形に近いレベルの製品やサービスを構築していきます。これは早期にアイデアを実際のサービスに仕立てるという意味で重要なプロセスとなります。

その際、アイデアを煮詰めすぎず、サービスを作り込みすぎず、現実にある課題を早期に見つけて修正を加えることが重要となります。費用対効果を意識する必要があるため、限られた資源で試作を構築せざるをえない状況となることも多くありますが、いわゆる「単なる試作」ではなく、リーダー自身が主体的かつ本気でそれを自分自身が美しいと感じる状態まで創りあげるということがポイントとなります。

このとき、一目見て美しいと感じるかどうかという直感が大切です。自分自身が構築した製品やサービスから「これがあなたの作りたかったものですか」という問いかけがあり、その問いに答えようとすることで、様々な気づきを得ることができます。それを基に、一目見て美しいと感じるような状態に近づけるなどして、「造形のトリハダ美」の強度をあげるための修正を加えていきます。

また、それらの過程を通じてアイデアの刷新を図ることもできます。アイデアが実体のあるものに転換されることで客観化され、アイデアとサービスとの乖離を把握できるためです。アイデアに潜むバイアスを察知することにより、検証などを行う前に、ある程度改善の方向性を明らかにすることで、「アイデアのトリハダ美」の強度をあげることができます。

サービスの検証を行う

構想の段階で、「顧客がどう反応するか」を想像するのは、限界があります。顧客が思いもつかない使い方をすることもあるでしょうし、顧客の使い方を観察することにより、これまで気づかなかった点が見つかることもあるでしょう。

このように実際に顧客に製品などを使ってもらうことで、アイデアが受け入れられるかどうかを見定めるための検証を早期に行います。

ここでは、リーダー自らが現場に赴き、製品やサービスを観察して事象を発見することで、新たな洞察を得ることに努めるのです。利用前、利用中、利用後におけるすべての顧客の動きや反応を捉えることで、構想の段階では気づくことができなかった問題点を抽出し、改善を行います。

自宅で利用するサービスなど、直接顧客の反応を捉えることができない場合についても同様です。リーダーの席が離れていると、どうしても部下やメンバーが情報を整理してまとめて報告する形となってしまい、情報の鮮度も落ちてしまいます。例えば簡易なコールセンターをリーダーの席の近くに設置するなど、リーダーが直接顧客の反応を捉えることができる環境をつくります。それにより、リアルタイムに顧客の生の情報を届けることが可能となります。

法人顧客に対するサービスも同様です。取引先や仕入れ先との対話を、担当者に任せるだけでは、実態とニュアンスが異なるというリスクも出てきます。人間誰しも、自分の思いを自己解釈しがちであり、自分自身が感じたいように相手の話を捉えてしまいがちです。だからこそリーダー自身の目と耳で現場の状況を確認することでサービスの全体像を正しく把握することが可能となるのです。

顧客の反応をリーダー自身の五感を使って感じとることで、顧客も認識しなかった潜在的なニーズを捉えることにもつながるだけでなく、潜在的な問いを発見して洞察を得ることができるようになります。顧客が語らないこと、無意識に行動していて語ることができない反応を捉えることが、新たな気づきとなるためです。自席に座ったままで、部下からの報告を受け取るだけでは限界があります。他者を介在させず、自らの五感で顧客の反応を感じとることで、アイデアに潜むバイアスに気づき、「アイデアのトリハダ美」の強度をあげることができるということです。

昨今注目を集めているうどんチェーン店の丸亀製麺は、インターブランドジャパン社の「顧客体験価値（CX）ランキング2022」において、星野リゾートを抜いて1位を獲得しました。その躍進の背景にあったのは、こういうことです。同社代表取締役社長の山口寛氏は、「地方の現場に直接赴く」ことを大切にしていて、週の半分は地方に赴きます。実際に現場の目線で、そこで発生している課題やお客さんの反応などを確認することにより、オペレーションの改善などを徹底しているのです。社長といえば、取締役会や提携企業との打ち合わせを行うなど、主に執務室や会議室で過ごすイメージを持たれる方も多いと思いますが、山口氏は仕事の半分以上を現場で過ごしています。

現場に転がる課題から新たな洞察を得るという姿勢から生まれたのが、ヒット商品となった「丸亀うどん弁当」でした。しかし、最初からこのアイデアがあったわけではありません。

2020年5月、同社がコロナ禍という逆境に遭遇した際に始めたのが、テイクアウトのサービスです。うどんと天ぷらを自分の好みで注文できる点が、丸亀製麺の強みの一つですが、それを活かしたテイクアウトのサービスを始めたところ、問題が発生しました。うどんと出汁とトッピングをそれぞれの包材に詰めて、袋に入れてお客さまにお渡しするというオペレーションにスタッフが慣れず、現場が混乱したのです。これにより、多くのお客さまをかなり待たせる状況も生まれてしまいました。

そこで辿り着いたのが、「弁当」というスタイルでした。容器を一つにして、すべての食材を詰めることにより、スタッフの手間を軽減することができ、さらにそれがお客さまを待たせることにならない、ということに気づいたのです。

実は、お客さまにはうどんと天ぷらを自由に組み合わせるという「制約のなさ」が、かえってテイクアウトではハードルが高いとも感じられていたようです。そのため、発想を変えて、「丸亀製麺のお勧めのセット」と提示することで、制約を設けた商品がより身近なものとなりました。また顧客の潜在意識として、うどんを持ち帰るのは出汁が溢れてしまいそう、うどんが伸びてしまいそう、といったネガティブなイメージが連想される傾向にあるため、それを払拭するために、「弁当」という言葉の響きを用いたことが功を奏したといいます。このようにして、「丸亀うどん弁当」は生まれ、新規顧客の増大にも大きく寄与したのです。

TOUCH TO GO（以下、ＴＴＧ）は、東日本旅客鉄道（以下、ＪＲ東日本）グループからカーブアウトした企業です。同社はＪＲ東日本のインフラ事業から生まれたSuica決済のアセットを活用し、店舗の人件費を抑制することで小売業界のビジネスモデルの刷新を図るという新規事業を立ち上げました。顧客が店内で手にした商品データを解析することにより、レジで商品のスキャンを行うことなく出口で決済を行うといった無人決済サービスをＴＴＧは手掛けています。

同社は2020年のJR高輪ゲートウェイ駅での無人店舗オープンを皮切りに、ファミリーマートや空港のコンビニ ANA FESTA と提携することで、数々の店舗をローンチしてきました。

このレジなし無人決済サービスを手掛けたのが、同社の阿久津智紀氏（以下、阿久津氏）です。阿久津氏は、このサービスを立ち上げる際、自らサービスの検証を行っています。さらに本気で創り上げたものを顧客に試してもらいたいと、無人決済の実サービス体験が可能な店舗を早期に構築し、検証も行いました。

「世の中で言っているPoC（Proof of Concept：概念実証）はすごく嫌いです。それに事業をやめる前提で行っているものが非常に多いと感じています」と阿久津氏は語ります。これは単純にサービスを顧客に試してもらうことをよしとせず、その試作やPoCをどれだけ本気で創り上げるかが大事であることを示しています。

阿久津氏は、「まず事務所を借りて、現地と同じサイズであらゆるテストを行いました。ただ結局製品として進化することができたのは、お客さんはこのような動きをするだろうか、これをやらないとダメではないかという議論を重ね、これらを2～3カ月で改善したことがほぼ今の成果として残りました。店を開けてからもドタバタの状態でしたが……」と当時を振り返ります。例えば、親子連れが入店した際に、最初は子どもが歩いていたのに、買い物の途中で母親が子どもを抱っこしたり、グループで買い物に来ている人が、品物を手に取って他の人に品物を勧めて、人同士がくっついたりするなど、予想外のことが起こりました。親子連れは想定していたのですが、その行動にもいろいろなパターンが発生しうることが、店を開けたことで明確になったのです。顧客が要望を伝えてくれるというわけではないため、顧客の反応を観察して、潜在的なニーズを察することが重要となるのです。

この検証を行う際、全員がプレーヤーであるという認識に立ち、リーダーである阿久津氏自身が現場での検証を主導しました。サービスの構築時において、リーダー自身がプログラミングのコードを書くわけではないのですが、このプロジェクトに関する物事の整理や解決に導く方法などをエンジニアの方と常に話しながら進めたということでした。

ここまでのプロセスを通じて、アイデアが研ぎ澄まされ、それを具現化した商品やサービスが構築され、ビッグアートが形成されるということが、おわかりいただけたでしょうか。

活用するアートのスキルとそのポイント④

このステップ4においては、タンジブル化のスキルを活用します。ビジネスにおけるタンジブル化は、アイデアという抽象的な発想を「手で触れられることができる製品・サービス」として形にする行為を意味します。アイデアというのは脳内で描いた理想の世界にすぎないため、前段の工程においてよいアイデアを発想したとしても、それが現実と乖離しているということが往々にして起こりえます。そのアイデアをタンジブル化させ、客観視できる状態にすることで、現実との乖離を早期に把握することが可能となるのです。

このプロセスにおけるポイントは、リーダーがタンジブル化を行う際に、抽象的な領域である「思考」に加えて具体的な領域である「創作」にも携わり、現場で身体を動かすことによってその構築と検証を行うという点にあります。ここで誤解していただきたくないのは、リーダーが実際に手を動かすことを強要しているわけではありません。リーダーは、積極的にエンジニアやデザイナーと膝を突き合わせて議論を重ねることで、主体的にタンジブル化に向けて関わるべきということです。また、他者を介在させずに、自らの五感を使って顧客の反応を捉えて、さらに検証を加えることも重要な点となります。

このように、アイデアをタンジブル化させるというプロセスを通じて、構築したサービスの「造形のトリハダ美」と対峙することができます。さらにリーダーは構築したサービスを自分自身が美しいと感じるものに修正を加えるだけでなく、アイデアに潜むバイアスにも気づき、改善点を見つけ出すことができるのです。また、脳内のイメージにすぎなかったアイデアを客観視できる状態に変えることにより、アイデアのトリハダ美の強度があがり、サービスも研かれるのです。

作り手が「トリハダ美を感じられるモノを形づくる」という強い意志を持って物事に本気で携わる。そうすることでしか新しい気づきは得られず、創作に主体的に関わらなければ、アイデアのトリハダ美の強度をあげることもできません。

Step 5 ビッグアートのトリハダ美により相手を直感的に魅了してバイアスを壊す

ステップ4までのプロセスを通じて、ビッグアートは形成されていくことになります。その後、それを実現するために関係者の共感と協力を得る必要があります。

一方、急進的イノベーションに相当するサービスというものは、新しい価値観を提案するものであり、最初の段階から他者の共感を得られることはほぼないと肝に銘じておくべきです。そこで、抽象的なアイデアとそれを具現化するサービスをビッグアートとして一つにまとめることで、伝わりやすい形にして周囲の人々へ提示します。

言葉の表現を工夫する

まずは、共感の土台を作る上において、自分と他者との言葉の意味に対する認識のずれを理解しておく必要があります。

お互いが持つ小さな認識があると、対話をしてもうまくかみ合わないということが多くあります。そのため、そのずれについてどれほど認識しているかが、トリハダ美により魅了できるか否かに影響を与えます。そのため、自身の考えを発信しながらも、それに対する他者との認識のずれを、心の中に少しずつ蓄えておく必要があります。

新しい価値観を持ったゲーム機、任天堂Ｗｉｉを認知させる伝道師として最も多くのプレゼンをしたのが、玉樹真一郎氏です。玉樹氏は言葉のずれが常に存在することを認識して、異なるバックグラウンドを持つ職種の人と仕事を進めるために多くのボキャブラリーを持つ必要があると実感していました。そのため日々「言葉を蓄積する」努力を行っていたのです。玉樹氏は「大きな会社でひとつのものを作る際に、関係者の同意が一番難しい」と語っています。相手のバックグラウンドを把握することにより、「あなたが考えているのは、きっとこういうことですね」と、他者の心に寄り添うコミュニケーションを実践してきました。そのため、相手の心が動くような言葉を自然と使っていくようになったといいます。

言葉の認識のすり合わせは、日常的に行うことが欠かせません。人が何を感じて何を面白がるのかに着目し、観察を繰り返すことで、たくさんの引き出しを用意することができるのです。その中から、相手が意図する文脈を推測し、それに適した言葉を紡ぎ出すことで、互いの理解を深めるための工夫をしていきました。

言葉を造りだす

新しい価値観をきちんと伝える言葉を造りだすことも必要となります。これは、伝えたい相手の持つバイアスを壊すことに役立ちますが、そのためには相手に対して直感的にささるものでなければなりません。いわゆる、造語の「トリハダ美」を備える必要があるのです。

イノベーションに値するアイデアは、新しい価値観の創造ともつながります。既存の言葉だけでは表現しきれない場合も出てくるため、自分の思いを周囲の人々が受け入れやすい言葉にすることが求められます。ここでお伝えしたいのは、新しい価値観の構造を正しく理解してもらうためには、既存の用語に固執せず、思い切って新しい言葉を造りだしてみる手段もあるということです。

前述の旭化成（当時）の山下昌哉氏もその一人です。技術者は、センサという言葉を聞くと、感度と精度の高さを求めるものであるという認識がどうしても先行してしまう場合も多いといいます。本来の意味のセンサは、細かい信号をきちんと測定することが目的であるため、感度が高くて、精度が高いほど良いという価値観が「常識」とされる世界です。「いい塩梅に地磁気を測って道案内することが目的である」と多くの技術者に説明したときに山下氏は気づいたことがあります。センサという言葉を使ったとたん、どうしても皆の理解が進まないのです。

そこで、「これは道案内アプリである。どちらの道を進めばよいかという情報を伝えるデバイスであり、地磁気を測ることが目的ではない。つまりこれは、情報デバイスであると考え直した」といいます。そのため、開発した技術を「電子コンパス」という言葉で定義し直し、それを同僚に説明したところ、きちんとした理解を得ることができたそうです。

例えば、ホテル等の運営委託を業務とする星野リゾートホールディングス（以下、星野リゾート）でも、社員や現場のサービスを提供する関係者に星野リゾートの新しい価値観を根付かせるために、新しい言葉を生みだした経緯があります。星野リゾートは1992年に「リゾート運営の達人になる」ことを掲げ、運営に特化したスキルが高い会社になるという方針を打ち出しましたが、2014年には「ホスピタリティ・イノベーター」という全く新しい概念を生みだしました。ここには、国内外問わずホスピタリティを付加価値とする事業運営を行っていきたいという同社の強い意志が込められています。ホスピタリティを主軸とし、ありきたりのサービスを提供するのではなく、ホスピタリティ業界において常に革新的な存在であるべきであるという思いが、この一言から伝わってきます。実にわかりやすく、言葉の表現においてもトリハダ美が備わっているケースだと言えるのではないでしょうか。

タンジブルな表現を扱う

次に、言葉の表現にタンジブルな表現を組み合わせることで相手の五感を刺激するプロセスを説明します。

顧客が利用する場面を想起させるプロトタイプや絵を提示することで、新しい価値観をもたらすアイデアであっても、具体的にイメージをもつことができるようになります。これにより「それは誰も欲しがらない」といった、相手のもつバイアスを壊すような〝手助け〟ができるようになります。

さらに、実サービスを構築して眼に見える形で提示することができると、新しいアイデアを伝える際、その価値が伝わりやすくなります。実体のあるものが存在することによりアイデアの実現が可能であるということが示され、「そのアイデアは実現不可能に違いない」となり、他者のバイアスを壊すことができます。

このように、相手に対して適切な言葉を提示しタンジブルな表現も同時に行うことにより、トリハダ美の扉を開くことができます。両方の表現を兼ね備えたビッグアートとして、相手のトリハダ美を刺激することで、直感的に良いものであると相手に感じてもらうことができます。

ＩＴ分野を得意とする日本電気（以下、ＮＥＣ）では、北瀬聖光氏（以下、北瀬氏）がＡＩ・機械学習の自動化プラットフォーム事業をスピンオフさせて、シリコンバレーで新会社の設立を主導しました。この事業を立ち上げる際、それらに必要となる新しい技術を立証する論文や知的財産はすでに存在していましたが、社内では「本当にできたらすごいんだけどね……」という懐疑的な反応が多く見受けられました。論文や知的財産などのデータを使い、事業の実現可能性を示すことは、大事なプロセスですが、眼に見えるものではないため、それを不十分であるとみなす人もいます。そのため、実現可能であることを証明するために、北瀬氏はそれを早期のＰｏＣにより、事業実績を積み上げていったのです。ＰｏＣの成果は、未知の世界を伝えるための材料として非常に大きな武器となり、「きっとできないだろう」という他者のバイアスを壊すきっかけとなりえます。まさにこれが眼に見えるものが持つ力の強さです。

次にゆったりとした時間を過ごすことができるサードプレイスとして人気のあるスターバックスを例に挙げてみましょう。同社はこれまでずっと順調な成長を遂げていると思っておられる方も多いかもしれません。でも実はそうではなかったのです。２００７年頃、同社に経営危機が訪れました。来店者数が初めて減少に転じ、当期利益も対前年比で30％弱と大幅に減少し、多くの店舗が閉鎖されて従業員の解雇も余儀なくされたのです。このときＣＥＯとして復帰した創業者のハワード・シュルツ氏は、あらゆる手段を用いて経営改革を行いました。

では、どのようにして同社を立て直したのでしょうか。印象的な2つの施策をご紹介します。

１つ目は、「どういうスターバックスにしたいか」という自分の思いを伝えるために、幹部を一つの部屋に集めて、シュルツ氏がおもむろにiPodを配ったというエピソードです（自身の考えを書いた資料ではありません）。iPodにはビートルズの全曲が入っており、部屋にはビートルズのグッズが置かれていました。スターバックスを当時のビートルズの状況になぞらえたのです。

シュルツ氏は幹部に向かい静かに語り始めました。「ポール・マッカートニーが、ビートルズ分裂の始まりがいつだったかを問われて、言った言葉があります。1965年の夏、ビートルズが初めてニューヨークのシェイ・スタジアムで黄色い声を上げる5万人を超える聴衆を前に演奏を行ったときのことです（ビートルズが最も多くの聴衆を集めたライブコンサートであったと記録されています）。叫び声や混沌とした状況の中で、ビートルズのメンバーは自分たちが演奏する音を聞くことができませんでした。彼らの音楽（芸術）は聴衆の熱気にかき消されてしまったのです。ポールはのちに、この大コンサートが、ビートルズの終わりの始まりであったと語っています」

こう伝えた後、シュルツ氏はさらに幹部に向かって「スターバックスはいつから、自分たちの歌を聴かなくなったのか？」と問うたのです。その際、幹部の多くは、彼からの問いに対して再起の念を抱き、同時にビートルズの世界観や楽曲に夢中になっていったと言われています。

2つ目は、顧客体験の提供に重要な役割を担うのはスターバックスの店舗の従業員であると再定義し、従業員の共感を獲得する戦略を選択したというエピソードです。シュルツ氏は、スターバックスの未来の姿を伝えるために、従業員に対する研修を始めました。この研修も特徴的なものであり、単なるプレゼンテーションやマニュアルによる説明ではありませんでした。シュルツ氏はスターバックスの未来を想起させるため、没入感を味わえる空間を用意して、実際に従業員の五感でそれらを感じてもらうようにしたのです。

このように、シュルツ氏は自らの思いをビートルズの曲を通して伝える、没入感のある空間により伝えるといった、演出を加えたタンジブルな表現を使うことで、社員の心を再び動かしたのです。

活用するアートのスキルとそのポイント⑤

事業アイデアの意思決定を行う際、美の感性が大きく関わっており、それが直感的に判断するための〝助け〟となっているという点を第3章で述べました。アイデアを生みだす当事者だけでなく、周囲の関係者にとっても協力したいと思えるアイデアであるかどうかは、トリハダ美で直感的に判断されるのです。その直感的な判断を促すのが、このステップ5のプロセスとなります。

周囲の共感を得る際に、一人ずつゆっくり説得していく余裕と資金力があればベストですが、実際のビジネスでは、関係者に対してアイデアを早期に認知してもらうことで共感を得る必要があります。さらに、関係者だけでなく世の中の人に商品を認知してもらうことも求められます。アイデアのコンセプトについていろいろと説明しないと伝わらないというサービスでは、多くの顧客の心を一気に摑むことはできません。アイデアに賛同してもらうためにも、相手が持つバイアスを壊して新しい価値観を受容してもらえるような状態にしなければなりません。

未知のアイデアを他者に理解してもらうためには、互いが持つ認識のずれに対して、適切な言葉を使用する、もしくは新しい言葉を造りだすといった工夫が求められます。まずは普段使う言葉を少し変えてみる、または新しい言葉を造りだすことにより、言語の表現におけるトリハダ美を研くことが必要であり、それが相手のバイアスを壊すことにつながるのです。

また、アイデアを言語で表現するだけでなく、タンジブルな表現は新しい価値観を浸透させる力を持つため、タンジブル化した表現を効果的に使って「ビッグアート」として浸透させることにより、相手にも伝わりやすい形となります。また、ビジネスの世界におけるタンジブルな表現のもう一つの役割としては、自分が持つアイデアが実現可能であるということをタンジブル化により証明することで、新しい価値観とみなされるアイデアであったとしても相手に理解してもらいやすくなります。その際、費用対効果を意識する必要があるため、たとえ実サービスの提示が難しくとも、可能な限り言葉以外の表現方法でアイデアを可視化できるよう努める必要があります。

さらに、「造形のトリハダ美」には、相手のもつバイアスを壊す効果があり、これは共感を得るにあたり重要な要素となります。単にアイデアをタンジブル化するだけでなく、構築したサービスの「造形のトリハダ美」が洗練されて美しいと感じる状態に創りあげることにより、多くの人に一気に受け入れられる可能性があるのです。

Step 6 ― 直感的にいいと感じたものに対して論理と情動により何らかの意味づけを行う

前工程のステップ5において、形づくられたビッグアートに対してトリハダ美により直感的にいいと感じてもらう状態にすることが重要であると述べました。このプロセスでは、その直感的な判断に対して意味づけを行うことで、相手の共感につなげることに挑戦します。それにより、そのアイデアの実現に対する納得感をもたせることができ、相手に対して自発的な協力を促すことにつながる効果が生まれます。

シンプルな論理によるストーリーをつけ加える

まずはビッグアートに対して、シンプルな論理によるストーリーをつけ加えることにより相手の納得につなげることが重要です。具体的には実験や検証により算出されたデータや、収益に関するデータなどの数的なデータを用いることにより、それらの客観性を担保させます。

特に、ビジネスにおける収益性の高さを示すことは、多くの賛同を得るために重要な要素となります。具体的には、市場性を示すこと、つまり市場規模がどの程度広がり、市場の成長率がどの程度高まるのかを明らかにすることにより、そのアイデアの市場が広がっていくことを示します。

また、提供する価値とコストはトレードオフの関係になることが多いため、良いアイデアであってもコストが過剰だと思われてしまうと、引き続き投資をしてもらうことはできません。顧客に対して提供する価値を高めつつも、それらを実現するためのコストとのバランスが取れていることが重要な要素となりますが、ここにおいてもこれらをデータとして示すことで、相手の納得感を得られる可能性が高まります。

ただし、論理性を伴う説明であっても、長々と説明してやっと意味がわかるストーリーとなると、魅力的なものとして映りません。シンプルなストーリーこそが最も美しく聞こえて人々の心を掴むため、可能な限り明瞭さを追求することが大事です。

情動に働きかける

次に、伝えたい相手の情動に働きかけることについて述べていきます。一見、ビジネスの世界に不要であるとみなされがちな「情動」ですが、これが相手にとって協力する動機となることも往々にしてあります。

まずは、自分自身のアイデアを実現させたいというリーダーの強い意志が重要です。リーダーの意志の強さが相手に伝わることで、信頼の獲得につながり、社内外の専門性を持った人材からの必要な助けを得やすくなります。時としてチャーム（魅力）も武器となります。キラキラしていてニコニコしているという印象だけではなく、自分らしさを発揮することができ、時に見せる弱音も個性として相手に伝わります。つまり、効果的に自己を開示することが大切です。自分自身の思いや考えを伝えるだけでなく、時には自分自身のみではできないこと、足りないスキルなどをうまく開示していくことにより、手を差し伸べる人たちが増えていきます。

また、情動に働きかけるための方法として、社外の力を使い、プロジェクトの認知や評判をあげることも一つの選択肢となります。例えば、あるプロジェクトに関してメディアに取り上げてもらうことにより、世の中の関心を集めるといったようなことです。また、プロジェクトを進める上で必要となる資産を持つ企業を見つけて、協業を図ることも成功のための後押しにもなります。他社との協業を通じてプロジェクトの実現性が高まるだけでなく、他社のトップが良いアイデアであると合意してくれたという事実が、社内における上位者の意思決定を促すことにもつながります。

さらに、社内の納得感を醸成させる上で効果的なのが、他部署の資産を活用できることを示すということです。それにより社内のアイデアを事業化する意義が高まるものの、注意しないといけないのが、イノベーションを創発するためには、アイデアを先に発想し、必要となる既存の資産がそれに活用できるかどうかを検討するという流れは守らないといけない点です。その逆になると、イノベーションは生まれません。既存の資産を活用することを第一にアイデアを探し始めると、既存の価値を拡張するだけのアイデアにとどまってしまうというリスクも出てくるため、順序が逆転しないよう注意する必要があります。

既存の資産を活用できることも示すことができれば、既存の事業を有する他部署が主体的に動いてくれる流れにもなり、そのアイデアを実現するため組織全体として協力してくれるということにつながります。

活用するアートのスキルとそのポイント⑥

このステップ6を通じて、ある程度関係者の納得感を醸成することができれば、組織として事業を前に進めるために必要な意思決定も迅速に行われるようになります。そのためにもこのステップは不可欠なものです。ただし、前工程のステップ5のプロセスにおいて、トリハダ美で直感的な賛同を得ているということが大前提として存在し、論理と情動はトリハダ美と比べると〝添える〟程度のものとして認識しておくべきものとなります。

情動に働きかける際には、リーダーの強い意志が欠かせませんし、そこに熱量が伴っているかどうかもポイントになります。そのアイデアに対する熱量の高さが周囲の人々の賛同につながるということも意識しておかなければなりません。

これはステップ1から徐々に醸成された熱量が、どれほど感じられるかにもかかっています。つまり、事業開始時においてエナジネーションがどれほど高まっているかが、大きな成功へとつながるのです。

ただし、タンジブルな表現からエナジネーションが滲み出るとお伝えしたように、主体的かつ創造的に取り組むことにより、ビッグアートからもエナジネーションが滲み出てきます。強い意志というのはビッグアートを提示するだけでも十分伝わるのです。

Point ｜ビッグアートの形成は組織変革にも寄与する

事業リーダーがビッグアートを形成する効果は、イノベーションに値する事業を生みだす成果につながるだけではありません。今回インタビューで協力いただいた方々の行動からは、新規事業の職掌を超えて、組織課題の解決を図るだけでなく、文化の醸成にも寄与したということが窺えました。

これは、日本の大企業の経営者6名とビジネスパーソン300名を対象に行った筆者の研究（研究3：調査方法については巻末に記載）とも符合します。これは、事業リーダーが発揮するリーダーシップが、新規事業と既存事業をバランスさせる「両利き」にどのような影響を与えたのかについて調査をしたものです。企業には既存事業と新規事業のポートフォリオが存在します。企業は既存事業を成長させながらも、新規事業としてイノベーションの創出も求められているのです。経営に求められるのは、既存事業と新規事業をバランスさせることであり、持続的なイノベーション創出のポイントは、この「両利き」にあります。

著者が収集したデータを分析した結果、「事業リーダーの立場である本部長・部長クラスの人たちが事業の方向性を強く示すことが、両利きを促進するための一つの要因となる」ことが明らかになりました。言い換えると、本書で紹介したビッグアートの形成と浸透が、イノベーションの創出を可能とする両利き組織への変革に寄与するということです。

では、どのようにすれば「両利き」がうまくいくのかについて、項目間の作用を通じて簡単に説明していきます。

まずは、経営トップのリーダーシップが重要であるということは言うまでもありません。トップがビジョンを掲げ、それを発信するだけでなく、事業リーダーに対しても適切に権限を付与することで、両利きのために必要な組織・制度を機能させることができます。これが、「両

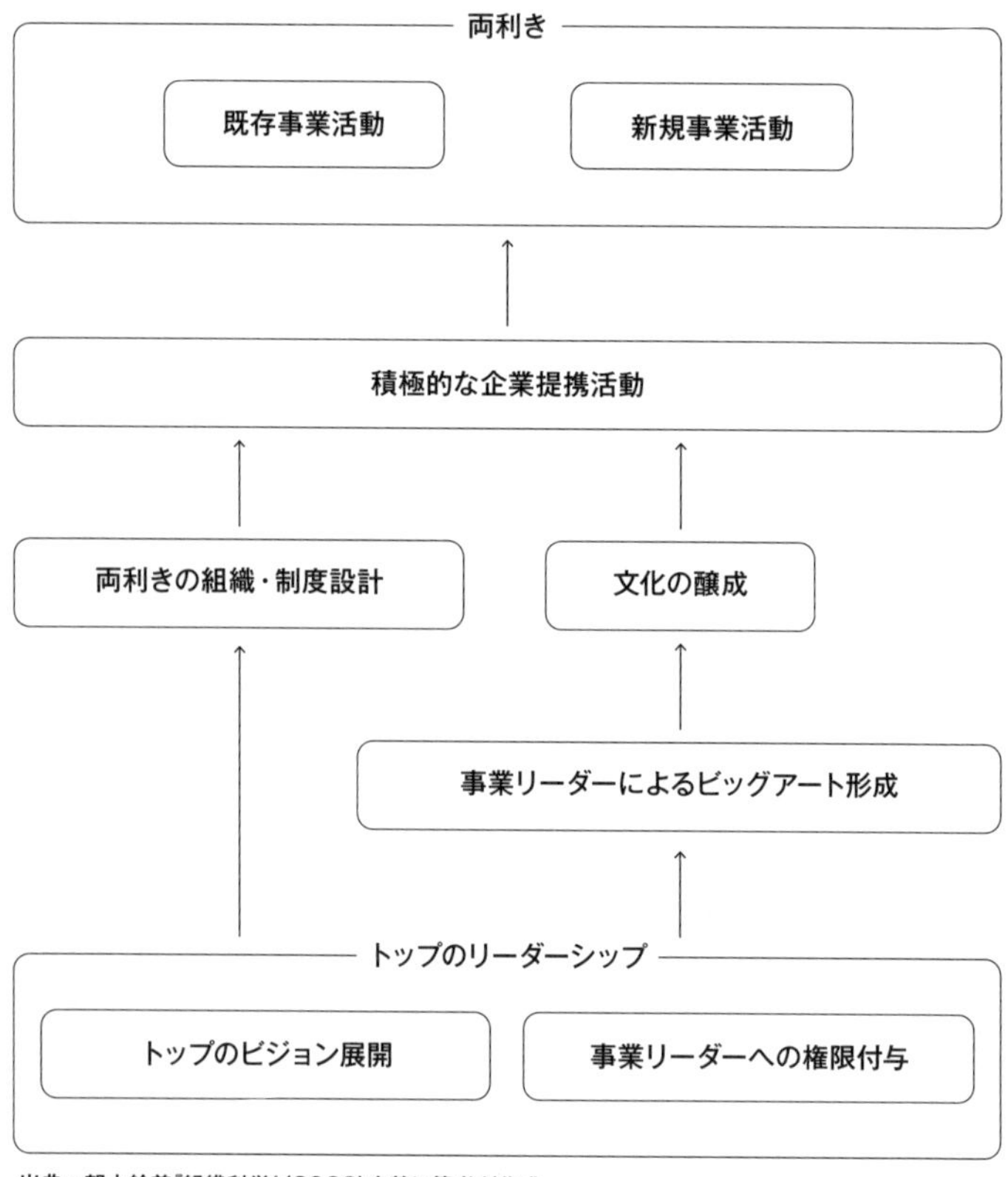

出典：朝山絵美『組織科学』(2023)を基に筆者が作成

利き」にとって重要な因子であることは、チャールズ・A・オライリー教授らの著書『両利きの経営「二兎を追う」戦略が未来を切り拓く』においても示されています。

それに加えて経営トップがリーダーシップを発揮し、事業リーダーに権限を委譲することにより、事業リーダーによるビッグアートの形成に大きな影響を与えることが明らかになっています。これは、大企業における事業リーダーという制約ある立場の者にとって、適切な予算権限や執行権限をトップから与えられ、一定の自由度を持てることが新規事業を立ち上げる際の要諦となるということです。なお、ビッグアートを形成しイノベーションを創出した事業リーダーに対してインタビューを行った際にも、「適切な自由度と権限を持つ担当に任命されて新しいプロジェクトをスタートできたことが、事業を成功させる上でも重要だった」という旨のコメントが見受けられました。

前述のNECの北瀬聖光氏による事業がうまく進んだのも、このような適切な予算権限や執行権限が与えられていたためでした。それでも、当初、北瀬氏は社内の慣習や、行動を抑制しようとする既存部署との軋轢に苦しんだといいます。事業の立ち上げだけではなく、さらに組織変革に対しても貢献した北瀬氏ですが、当時の状況をこう説明しました。「社内で課されたKPIを達成するために、当事者同士がぶつかっていては、決して問題を解決することはできない。社員がお互いに正しいことを行っているという自負があり、それが譲れないのであれば、上位の意思決定者である経営サイドに判断してもらうという考え方に至ったのです」

このように、実際に起きている課題について、北瀬氏が一つひとつ経営サイドに改善提案を行うことで解決に導いていったのです。また、社員が創造的に働くことができるよう採用や評価などの人事制度の改革においても北瀬氏の貢献が光りました。NECにおける創造性を継続させるための組織改革では、トップの方針はもとより、新しい事業を立ち上げた北瀬氏のリーダーとしての存在が大きかったのです。

私が実施したほかのインタビューにおいても、事業を創出した経験から得られた課題を、組織に還元することにより、自社における制度変更を促すなど、次世代のための仕組みづくりに働きかける姿や、次世代の社員が積極的にイノベーションの創発にチャレンジできる企業文化を醸成する活動を行う事業リーダーの姿も見られました。

現場の社員は、そのようなリーダーの背中を見ながら、チームの一員として日々の業務を行っています。リーダーというのは、ただトップの指示に従い行動するのではなく、熱量を持ち強い思いで現場に方向性を示して、変革に努めている姿を示すことが最も重要なのです。それが、新しい取り組みへのチャレンジや多様な価値観を受け入れるという意識へとつながり、企業の新規事業に対する文化が醸成されていくのです。

また、このようなチャレンジを許容する文化が存在することにより、様々な業種の企業との提携交渉やその業務を積極的に推進するという社員の前向きな姿勢が生まれます。そのような組織文化が土台となり、社員一人ひとりが積極的に推進していくことで、「両利き」へとつながっていくのです。

以上のように、今回インタビューをした方々は、イノベーションに相当する事業の立ち上げを行うだけでなく、自分自身の経験に基づき、創造性を持続させるための組織変革にも関わっていました。社員一人ひとりが自然と創造力を発揮できる場にしたいという思いから生まれる行動が、良い環境、良い世界の創造へとつながっていくのです。事業リーダーがビッグアートとしての方向性を示すことこそが、イノベーションの創出だけでなく、組織を大きく変革する原動力となりうるのです。

まとめ

本章では、ビッグアートを中心に据えたMFAの実践的アプローチについて具体的なプロセスをご紹介してきました。各プロセスを6つのステップに分け、便宜上順序立てて説明してきましたが、実際はこれらのプロセスを行き来する場合も往々にしてあります。例えば、関係者と対話を行うプロセス（ステップ5やステップ6）を通じて、自分自身の中にあるバイアスに気づき、そこからの脱却を図ること（ステップ2）で、ビッグアートを完成させる最後の研きあげへとつながるということもあります。このように臨機応変にプロセスを行き来しながら、トリハダ美で心が揺さぶられるようなアイデアを発見することでビッグアートを形成していくのです。

本章でご紹介した方法論は、あるべき論が中心の「理想とする方法論」ではなく、現実の世界に沿ったものとなっています。私はビジネスの世界ですぐ実践に移すことができる方法をお伝えすることを目指してきました。独自の研究によりわかったことは、アートのスキルがベースとなったMFA経営戦略と実践的アプローチには、実際に事業を創出した方々の行動や方法論と符合するものが多く存在していたという事実です。また、研究の対象としたのは、欧米のようなトップダウン型の経営とは異なる日本の大企業で新規事業を立ち上げてきた方々です。大企業において一定の制約のあるビジネスの現場においても活用可能であり、それらを適切に活用することで、イノベーションに相当する事業の創発に対して有用に機能するという結論をご理解いただければ幸いです。

いくらきれいなビジョンを描いても、PowerPoint資料でいくら丁寧に戦略を示しても、いくら発想が豊かであっても、それだけで未来を変えることはできません。具体的なモノを眼に見える形にして世の中に提示することでしか、大きな変革をもたらすことはできないのです。このように最も難しく、高い価値を誇る「製品やサービスとして形づくる技術」こそ、今の日本のリーダーがもう一度取り戻すべきものではないでしょうか。

米国の哲学者であるジョン・デューイは「芸術作品は経験のなかで生まれ、経験のなかで作用する」という言葉を遺しています。アートを鑑賞するにはまず何が美しいかをわかっている必要がある、ともいわれます。日常生活において何か美しいと感じる経験がないと、そのアートの価値が変化していくということです。デューイはこの経験というのはアート鑑賞の中だけで研かれるのではなく、日常の中でも研かれるとみなしていました。

ビジネスの文脈に置き換えると、プロジェクトを開始してからあわててトリハダ美を研くのではなく、日常の中で繰り返しトリハダ美を感じるという経験なしに、素晴らしいビッグアートを形づくることなどできないのです。言い換えると、イノベーションの起点は、企業人としての「仕事」の中だけに存在するのではなく、リーダー個人のあらゆる「日常」の中に存在しています。

これらの「トリハダ美の感性でアイデアを想像し、眼に見えるモノを形づくる技術」であるアートのスキルを日頃からコツコツと培うことが大事になります。日常においてトリハダ美を研き、ビジネスの世界においてもアートのスキルを活用することで、社会のシステムを変革するビッグアートを形成させる。それを眼に見える形として世の中に提示することで、多くの人々を魅了する……、皆さんにはこれらの動きを大いに期待しています。さらには、自らの強い意志を後世へとつなげるため、誰もが創造力を発揮しやすくなる社会へと変化させ、そのような世界がさらに広がり、長く続いていくことを筆者としては熱望します。

（敬称略）

おわりに

本書の作成は、構想から約2年半かかりました。本書に記したアートのスキルを私自身が活用して執筆することを心掛けてきたためです。執筆を重ねる過程でエナジネーションが徐々に高まっていき、自分自身が持つバイアスに気づくことも多くありました。エナジネーションは私が造りだした言葉ですが、もともと発想力や創造性などといった既存の言葉のみで表現しようとしていたのです。トリハダ美も同様で、当初は美意識や美的感性という言葉を使っていました。しかし、これらの言葉を使うことで、その言葉が持つ概念が先行し、その結果伝えたいことを理解してもらうために時間がかかるのではないかと頭を悩ませていました。そこで、読者の方々に私の考えや思いをうまく伝えるためには、本書では既存の言葉を使わないほうがいいと思い、新しい言葉を造るということに至ったのです。

長い間サイエンスの世界で生きてきた私でしたが、MFAで習得したアートのスキルを活用できるようになったことで、世界の見方も大きく変わりました。アートのスキルは生まれ持った才能であり、後天的に養えないものであると思い込んでいる方も多いと思いますが、決してそうではないことをご理解いただきたいと思い、執筆を始めたのです。

アートのスキルやMFAのアプローチというものは、ある条件のもとであれば、大人になっても必ず習得することができます。そのためには、自己のバイアスを外すことが非常に大事であるという認識が欠かせません。自己のバイアスを外すために、アンラーン（unlearn）できるかどうかがカギを握りますが、それは、学んだものや経験したものを意識的に忘れるということです。経験則は大事ですが、それらを一度脇に置いてみてはどうでしょうか。

ラーン（learn）しようとすると、経験則や価値観に固執し、これまでに得た知識や経験に基づいて物事を解釈してしまいがちです。その代償として、新しい価値観を取り入れることができないだけでなく、もっと悪いことに間違った解釈で学んだ気になってしまいます。そこでアンラーンを行うことにより、新たな価値観を自分の中に入れることができるのです。さらにユニークな着眼にも研きがかかり、トリハダ美を研ぎ澄ますことが可能となります。

美大に入学してすぐの頃、当時の学長であった長澤忠徳教授から「ムサビのこのキャンパスの門は、社会人としての自分、ビジネスパーソンとしての自分をすべて脱ぎ去ってからくぐるように」という言葉を頂きました。当時この言葉の意味に気づくことができなかったのですが、学内で過ごすうちにアンラーンの概念を理解し、自分自身の経験の中にバイアスが存在することを認識したのです。その結果、自分自身の行動だけでなく、学びに対する意識も大きく変わりました。

人生１００年時代において、何歳からでも新しい学びを始めることは可能です。それと同時に、これまでの学びを意識的に忘れることも必要となります。アンラーンを理解して、バイアスについての認識を改めて持つことで、行動も変わり、学びの質も格段にあがっていきます。

本書で紹介したスキルの中には、早速試してみることができるものも多く存在します。「私はアンラーンできているのか?」と常に自問自答しながら、新たなアートのスキルの習得にチャレンジしてみてください。

アートのスキルの一つであるトリハダ美というものは、「意義」を表すことを示しましたが、これは、人が生きがいを持ち、幸せを感じるために必要な大事な感情の一つです。このような美の感性を使って意思決定を行うことで、自分らしくイキイキと仕事に取り組むことが可能となるでしょう。さらに、共に生きる共同体にとっても意義のあるアイデアが生まれるだけでなく、企業人であるという社会的責任を果たし、イノベーションを生みだすことができると思います。さらに、自分自身の振る舞いに周りの人も感化され、組織において新たな文化が生まれ、それが醸成され、日本の競争力の向上へとつながっていくのです。

日々の生活においてトリハダ美を研ぎ澄ませ、皆さんらしい美の感性で創りたい世界を構想してみてください。鳥肌が立つようなアイデアをタンジブル化して眼に見える製品・サービスとして世に送り出すことにより、イキイキした人生となると思います。

本書は様々な方たちとのご縁とご協力によって生まれました。調査にご協力いただいた、阿久津智紀様、伊能美和子様、上原高志様、加藤博巳様、北瀬聖光様、竹林一様、玉樹真一郎様、山下昌哉様をはじめとする多くの皆さまに深く感謝申し上げます。

また、本書を執筆するにあたり、温かくご指導賜りました学校法人武蔵野美術大学の長澤忠徳理事長、武蔵野美術大学の篠原規行教授、石川卓磨准教授、関西大学の石津智大教授に深く御礼を申し上げます。

とりわけ書籍編集部次長の渡邉崇さんに、約2年半にわたって本書の伴走を続けていただいたことは、とても幸せでした。本当にありがとうございました。

ほかにもたくさんの方々に支えていただいたお陰により、本書を上梓することができました。この場をお借りして心から御礼を申し上げます。

最後に本書が、愛しい我が子が社会に巣立つときにイキイキと働くことができる世界になるきっかけとなることを願って、筆を擱きたいと思います。

朝山絵美

研究1——事業アイデアの意思決定における美の役割

調査対象

国内大手通信企業に勤める10名にご協力いただき、今後立ち上げる可能性のある事業アイデアに対する評価を行ってもらう質問紙調査を実施しました（2023年2月）。同一の文脈と価値観をもって判断できる集団とするため、同一企業に属していることを条件としました。

調査・分析方法

イノベーションを創出するためのアイデアを承認する際、どのような軸で意思決定を行っているのか、その意思決定に美が関係するのかを明らかにするという調査を行いました。同社の新規事業の担当にあらかじめ用意したいくつかの事業アイデアに対して、自分自身のリソースを投資する承認ができるか、そのアイデアを美しいと感じるか（美の尺度）を評価してもらいました。加えて、それぞれのアイデアに対し、収益性や実現可能性といったアイデアを評価する際に一般的に用いられる16の指標についいて質問し、それぞれ7段階（とても当てはまる↕まったく当てはまらない）で評価してもらいました。

それらのデータを収集し、アイデアに対する承認と、美の尺度、16の指標の関係性を分析しました。

研究2――ミドル・マネジメントによるビジョンの形成と浸透

調査対象

新規事業の創出を行った経験をお持ちの10名の方にご協力いただき、個別にインタビューを行いました（2022年2〜8月）。日本の大企業に所属している事業責任者あるいはそれに相当する役割を担う方（ミドル・マネジメント）を対象としました。すでに主要な事業を有しており、それらの事業の収益やアセットが十分にある大企業であることを前提としました。

さらに、大きな投資判断を除いて経営者が対象の方に事業化に向けた相応の判断を任せていること、対象の方自らがリーダーシップを発揮し、ボトムアップ的に事業を始動し、各市場で業界慣習を大きく転換するような事業を創出していることを条件としました。

調査・分析方法

学術的に推奨されているインタビュー手法、分析手法（M－GTA）を用いました。インタビューしたデータをそれらの適切な手法を用いることで分析し、イノベーション創発におけるビジョンの形成や浸透のポイントやプロセスを導出しています。

なお本書の構成上、アートのスキルやMFAの方法論を提示したうえで、符合するインタビュー結果を記載するという流れで説明していますが、あくまでも恣意的ではない適切な調査・分析の手法によって研究を行っています。

調査の段階ではこれまで述べてきたアートのスキルやMFAに関する仮説は持たず、非構造化インタビューという、回答者から自由な意見や考えを引き出すインタビュー形式を採用しています。それによりインタビュー結果のデータから本質的なポイントを押さえながらイノベーション創発におけるプロセスを導き出すことができます。

引用元
朝山絵美（２０２３）「新規事業創出におけるミドル・マネジメントのビジョン形成および浸透のメカニズムに関する研究」『組織科学』57（3），81-97

研究3——両利き性を促進するミドル・マネジメントの役割と作用

調査対象

日本の大企業の経営者6名にインタビューを行い、さらに、日本企業に勤めている現役ビジネスパーソン３００名を対象に質問紙調査を実施しました（２０２１年7月）。なお、社長から課長までの役職者、業界としては小売・製造業や金融業、サービス業などの従事者を対象としています。

調査・分析方法

事業責任者をはじめとする本部長・部長クラス（ミドル・マネジメント）の方々の主体

的な役割が、新規事業と既存事業の活動をバランスさせる「両利き性」にどのように影響を与えているかを明らかにするための調査と分析を行いました。

経営者6名に対するインタビューを通じて、イノベーションなどの新規事業の創発や既存事業の改善に必要な企業行動を洗いだし、両利き性への作用に関する仮説を策定しました。インタビューによって新たに明らかになった項目と、これまでの経営学における研究で明らかになっている、必要とされる企業行動を統合し、それらの項目に対する質問紙調査を行いました。各項目がどの程度自社内で進んでいると思うかを300名の方に5段階（当てはまる↔全く当てはまらない）で評価してもらいました。

同様に、イノベーションに相当する新規事業の開発や、既存事業の改善活動がどの程度進んでいるかについても5段階で評価してもらいました。

データを分析し、仮説検証することにより、両利き性を促進するミドル・マネジメントの役割と作用を導き出しました。

引用元

朝山絵美（2023）「組織の両利き性を促進するミドル・マネジメントの役割とその作用の研究」『組織科学』57（2），19-33

チャールズ・A・オライリー、マイケル・L・タッシュマン著、渡部典子訳『両利きの経営 「二兎を追う」戦略が未来を切り拓く』東洋経済新報社、2019年
電通美術回路編『アート・イン・ビジネス ビジネスに効くアートの力』有斐閣、2019年
戸田山和久著『科学哲学の冒険 サイエンスの目的と方法をさぐる』NHKブックス、2005年
長澤忠徳著『インタンジブル・イラ デザイン=情報化社会への理解力』サイマル出版会、1988年
西尾洋一編『カーサ ブルータス 2021年5月号〈安藤忠雄×人生 人生100年時代をどう生きるか。〉』マガジンハウス、2021年
パウル・クレー著、土方定一、菊盛英夫、坂崎乙郎訳『造形思考(上・下)』ちくま学芸文庫、2016年
ハワード・シュルツ、ジョアンヌ・ゴードン著、月沢李歌子訳『スターバックス再生物語 つながりを育む経営』徳間書店、2011年
森永泰史著『デザイン、アート、イノベーション』同文館出版、2021年
リチャード・ボランドJr.、フレッド・コロピー著『Managing as Designing』Stanford University Press、2004年
寄藤文平著『ラクガキ・マスター 描くことが楽しくなる絵のキホン』美術出版社、2009年
等

論文

朝山絵美(2023).「組織の両利き性を促進するミドル・マネジメントの役割とその作用の研究」『組織科学』57(2)、19-33
朝山絵美(2023).「新規事業創出におけるミドル・マネジメントのビジョン形成および浸透のメカニズムに関する研究」『組織科学』57(3)、81-97
Boland, R., Collopy, F., Lyytinen, K., & Yoo, Y. (2008). Managing as Designing: Lessons for Organization Leaders from the Design Practice of Frank O. Gehry., Design Issues, 24(1)、10-25

参考文献

書籍

アンソニー・ダン・フィオナ・レイビー著、千葉敏生訳『スペキュラティヴ・デザイン　問題解決から問題提起へ。』ビー・エヌ・エヌ新社、2015年
イヴォン・シュイナード著、井口耕二訳『新版 社員をサーフィンに行かせよう－パタゴニア経営のすべて』ダイヤモンド社、2017年
石津智大著『神経美学　美と芸術の脳科学』共立出版、2019年
市原研太郎(テキスト)、『美術手帖1991年3月号〈特集:デイヴィッド・リンチ闇の中のテクスチュア〉』美術出版社、1991年
入山章栄著『世界標準の経営理論』ダイヤモンド社、2019年
エイミー・E・ハーマン著、岡本由香子訳『観察力を磨く　名画読解』早川書房、2016年
ケネス・クラーク著、高階 秀爾訳『絵画の見かた』白水社、2003年
佐藤可士和著『佐藤可士和の超整理術』日本経済新聞出版社、2007年
サラス・サラスバシー著『Effectuation: Elements of Entrepreneurial Expertise. Edward Elgar Publishing.』
白尾隆太郎、三浦明範著『造形の基礎　アートに生きる。デザインを生きる。』武蔵野美術大学出版局、2020年
杉本博司著『アートの起源』新潮社、2012年
須子はるか著『自転車ランプの法則　ペダルをこぐだけであなたは変われる』講談社、2007年
スージー・ホッジ著、清水玲奈訳『世界をゆるがしたアート　クールベからバンクシーまで、タブーを打ち破った挑戦者たち』青幻舎インターナショナル、2022年
ジョン・デューイ著、栗田修訳『経験としての芸術』晃洋書房、2010年
高橋歩編著『人生の地図』サンクチュアリ出版、2003年
ダニエル・ピンク著、大前研一訳『ハイコンセプト　「新しいこと」を考え出す人の時代』三笠書房、2006年

Newspicks「iTunes誕生の裏でSonyに起きていたこと～スティーブ・ジョブズが音楽産業にもたらしたもの」、2017年 11月 3日(https://newspicks.com/news/2603569/)
NHK NEWS WEB「スティーブ・ジョブズ「美」の原点」、2021年7月1日
日経クロストレンド「丸亀製麺、CX企業ランキング1位の必然　感動体験の設計図を初公開」、2023年 2月 8日(https://xtrend.nikkei.com/atcl/contents/18/00770/00006/)
日経クロストレンド「「ほとんど会社にいない」　丸亀製麺社長が現場行脚でやっていること」、2023年 5月 24日(https://xtrend.nikkei.com/atcl/contents/18/00822/00005/)
RIGHTCODE「真のインターネットの父」ARPANETの仕掛け人 J・C・R・リックライダー、2022年 12月 8日(https://rightcode.co.jp/blog/it-entertainment/arpanet-j-c-r-licklider)
World　Intellectual Property Organization(WIPO)、Global Innovation Index
等

Carmen, V., Paolo, A, & Benedetta, C.(2022) .Emotions and consumers' adoption of innovations: an integrative review and research agenda. Technological Forecasting and Social Change,179,121609-1-121609-16.

本田悟郎(2017).「ジョン・デューイの芸術論における人間活動としての作品生成と受容」『美術教育学研究』49、369-376

Rittel, H.W.J., & Webber, M.M. (1973). Dilemmas in a general theory of planning. Policy Sciences, 4(2)、155-169.

web記事

ASCII.jp× TECH「インターネット誕生」の瞬間、ログに残された2行のメモ、2014年2月13日(https://ascii.jp/elem/000/000/866/866394/)

BBC NEWS JAPAN「ネアンデルタール人は美術作品を作っていた」、2018年 2月 23日(https://www.bbc.com/japanese/features-and-analysis-43165670)

ビジネス＋IT「カメラを"再発明"したゴープロ(GoPro)はガジェットか？新しいプラットフォームか」、2015年 2月 27日(https://www.sbbit.jp/article/cont1/29327)

DIAMOND ONLINE「Spotifyの下剋上劇を知れば「音楽サービス 20年興亡史」がわかる【超図解】」、2020年 8月 7日(https://diamond.jp/articles/-/244581)

ferrt、外国人が思う「Kawaii(カワイイ)」とは？ Instagramから世界各国の「#Kawaii」を分析、2020年10月14日(https://ferret-plus.com/10123)

FinTech Journal「投資アプリ「Robinhood(ロビンフッド)」とは何か？ 熱狂的な若者を生んだ仕組み」、2020年 9月 15日(https://www.sbbit.jp/article/fj/42379)

MBSコラム「アートで世界の認識を変える！」チームラボ代表・猪子寿之が目指すもの、2022年 7月 6日(https://www.mbs.jp/mbs-column/mimi/archive/2022/07/06/023966.shtml)

ビジネスで成功する人は芸術を学んでいる MFA（芸術修士）入門

2024年4月17日　第１刷発行

著者　朝山絵美
発行者　鈴木勝彦
発行所　株式会社プレジデント社
〒102-8641東京都千代田区平河町2-16-1
平河町森タワー13階
https://www.president.co.jp/　https://presidentstore.jp/
電話　編集 (03) 3237-3732
販売 (03) 3237-3731

編集　渡邉 崇
販売　桂木栄一　高橋 徹　川井田美景　森田 巌　末吉秀樹
装丁　秦 浩司
制作　関 結香
印刷・製本　TOPPAN株式会社

ISBN978-4-8334-2515-5
Printed in Japan
落丁・乱丁本はおとりかえいたします。

朝山絵美

あさやま・えみ

兵庫県生まれ。工学修士(Master of Engineering)、造形構想学修士・博士(Ph.D. of Creative Thinking for Social Innovation)。外資系コンサルティングファームにおいてマネジング・ディレクターを務め、人間中心の経営戦略を専門とする。
同志社大学大学院工学研究科知識工学専攻(現:理工学研究科インテリジェント情報工学専攻)の修士課程を修了。カナダ バンクーバーにてCo-Active® Training Institute(CTI)主催のコーアクティブ・コーチングのコアコースを通じてコーチングを修学。その後、外資系コンサルティングファームに入社し、現在に至る。公益社団法人、一般社団法人の理事や相談役を歴任、経営者を対象としたエグゼクティブコーチングの実績も多数ある。

武蔵野美術大学大学院造形構想研究科クリエイティブリーダーシップコースの修士課程を2021年3月に修了。その後、同大学院博士後期課程において、ビジネスパーソンが人間らしくイキイキとイノベーションを創発するための研究と椅子の制作を中心としたアートワークを行い、2024年3月に学位を取得。

ビジネス・経営の観点を捉えたMFAの学びを発信中。